KB218222

작은 솔씨가
푸른 소나무 되네

고승열전 **12** 용성큰스님

작은 솔씨가
푸른 소나무 되네

윤청광 지음

우리출판사

윤 청 광

전남 영암 출생으로 동국대학교에서 영문학을 전공했고, MBC-TV 개국기념작품 공모에 소설 〈末島〉가 당선되었으며, MBC에서 〈오발탄〉〈신문고〉〈세계 속의 한국인〉 등을 집필했다. 그 동안 대한출판문화협회 상무이사 · 부회장 · 저작권대책위원장 · 한국방송작가협회 이사 · 감사 · 방송위원회 심의위원을 역임했고, 〈불교신문〉 논설위원을 거쳐 현재 〈법보신문〉 논설위원, 법정스님이 제창한 〈맑고 향기롭게 살아가기 운동〉 본부장, 출판연구소 이사장을 맡아 활동하고 있다. BBS 불교방송을 통해 〈고승열전〉을 장기간 집필했고, 《불교를 알면 평생이 즐겁다》《불경과 성경 왜 이렇게 같을까》《회색 고무신》 등의 저서가 있으며, 기업체 · 단체 연수회에 초빙되어 특강을 통해 '더불어 사는 세상' 을 가꾸고 있다.

BBS 인기방송프로
고승열전 [12] 용성큰스님
작은 솔씨가 푸른 소나무 되네

2002년 10월 23일 개정판 1쇄 인쇄
2011년 10월 7일 개정판 2쇄 발행

지은이/윤청광
펴낸이/김동금
펴낸곳/우리출판사
등록/1988년 1월 21일 제9-139호
주소/120-013 서울특별시 서대문구 충정로 3가 1-38
전화/(02)313-5047, 5056
팩스/(02)393-9696
E-mail/wooribooks@wooribooks.com
www.wooribooks.co.kr

ISBN 89-7561-183-3   03810

책값은 뒷표지에 있습니다.

· 지은이와 협의하여 인지를 붙이지 않습니다.
· 잘못된 책은 본사나 구입하신 서점에서 바꾸어 드립니다.

나 떠난 후에 조선은 반드시 독립할 것인즉
그때 세상사람들에게 이 용성이 당부하는
세간오계를 전해 주시오.
첫째, 목숨을 바쳐 나라에 충성하시오.
둘째, 목숨을 바쳐 부모에 효도하시오.
셋째, 목숨을 바쳐 스승을 공경하시오.
넷째, 목숨을 바쳐 친구를 믿고 사귀시오.
다섯째, 목숨을 바쳐 전쟁에는 지혜롭게 이기시오.

차례

1
요원의 불길

때는 1919년 기미년 3월 1일.

아침부터 종로에 있는 태화관이라는 음식점에는 각계 각층을 망라한 조선의 우국지사들이 감시의 눈을 피해 속속 모여들었다. 이들은 천도교와 기독교, 불교 등 각 종교단체를 대표하는 사람들이었다.

점심식사를 하기 위해 마련된 음식이 차갑게 식어가고 있는데도 이들은 긴장된 눈빛만을 주고받으며 무언가를 기다리고 있었다. 마침내 정오를 알리는 사이렌 소리가 울려퍼지기 시작하자 둘러앉은 수십 명의 눈길은 모두 천도교를 대표하여 참석한 의암 손병희에게로 쏠렸다.

천천히 자신의 좌우에 앉은 사람들의 면면을 둘러보던 손병희는 고개를 끄덕이며 자리에서 일어났다. 그는 품속에서 한 장의 인쇄물을 꺼내들더니 낭랑한 음성으로 읽어 내려갔다.

"오등은 자에 아 조선의 독립국임과 조선인의 자주민임을 선언하노라! 차로써 세계만방에 고하야 인류평등의 대의를 극명하며, 차로써 자손만대에 고하야 민족자존의 정권을 영유케 하노라……."

이것이 바로 조선이 자주독립국임을 국내외에 선언하고, 모든 조선인들이 일제에 항거해 싸워나갈 것을 촉구했던 역사적인 기미독립선언문이다.

모여앉은 사람들의 얼굴에는 차츰 조선독립선언의 감격이 서리기 시작했고, 입술은 정의를 위해 모든 것을 각오한 사람 특유의 결연함으로 굳게 다물어졌다.

손병희의 낭독은 이제 막바지에 접어들고 있었다.

"하나, 최후의 일인까지, 최후의 일각까지 민족의 정당한 의사를 쾌히 발표하라. 하나, 일체의 행동은 가장 질서를 존중하여 오인의 주장과 태도로 하야금 어디까지든지 광명정대하게 하라."

이어 독립선언문에 서명한 33인의 민족대표 이름이 발표되었다.

"대한독립만세! 만세! 만세!"

독립선언의 벅찬 감격으로 33인의 만세 삼창이 끝도 없이 계속되고 있을 때였다.

"꼼짝마랏!"

고함소리와 함께 방문이 벌컥 열렸다. 수십 명의 왜경들이 총칼을 들고 서슬푸르게 들이닥쳤다. 33인의 우국지사들은 서로의 어깨를 부둥켜 안고 떨어지지 않으려 안간힘을 쓰며 계속 만세를 불러댔다.

　"대한독립만세! 만세! 만세!"

　"이 조센징들이!"

　"으윽!"

　"억!"

　신음소리, 비명소리로 태화관 안은 순식간에 아수라장이 되어갔다.

　"끌고 가랏!"

　"하!"

　같은 시각 파고다 공원에서는 4, 5천 명의 학생들이 모여들고 있었다. 정오가 되자 사방모자를 쓴 학생 하나가 팔각정으로 힘차게 뛰어들었다. 그가 바로 보성전문학생 정재용이었다. 정재용은 안주머니에서 독립선언서를 꺼내어 오연한 표정으로 낭독하기 시작했다.

　"대한독립만세! 만세! 만세!"

　"와아!"

　학생들은 모자를 공중에 던지고 태극기를 꺼내 흔들며 일제히 대한독립만세를 외쳤다. 이들이 선언을 끝내고 파고다 공원을 나설 때는 수만의 군중이 호응하여 함께 시위행진을 하며 대한문으로 향하였다.

이 노도와 같은 3·1운동의 만세 시위는 요원의 불길처럼 전국으로 퍼져나갔다.

한번 불붙기 시작한 조선인들의 독립만세 열기는 왜경들의 군화발과 총칼 앞에서도 수그러들 줄을 몰랐다.

하나가 쓰러지면 다른 하나가 일어나고, 젊은이들이 잡혀가면 노인과 아이들까지 합세하여 대한독립만세를 외쳤다. 한 사람의 만세소리는 백 사람의 가슴속에 메아리쳐 만 사람을 일떠세웠다.

그날밤 다케무라 경부는 경무총감부 취조실 책상에 앉아 조선 애국지사 33인이 발표했다는 독립선언서를 노려보고 있었다. 3·1운동을 주도한 무리들이 속속 잡혀들어 오고는 있었으나, 사전에 이 중대한 기밀을 염탐해 내지 못한 책임을 결코 면할 수는 없을 것이다. 다케무라 경부는 잔뜩 독이 올라 아랫입술을 지그시 깨물었다.

정오 무렵부터 시작된 상부의 닦달은 다케무라를 극도로 지치고 악에 바치게 만들었다. 전화통은 불이라도 난 듯 쉬지 않고 울려댔다. 들려오는 소식마다 성난 다케무라를 비웃기라도 하는 것처럼 조선 전역에 걸쳐 독립만세운동이 걷잡을 수 없이 번져간다는 이야

기쁨이었다.

독립선언서를 우에서 좌로, 좌에서 우로 반복하여 읽으며 생각에 잠겨 있던 다케무라가 마침내 선언서를 책상 위에 내동댕이치며 벌떡 일어섰다.

"에잇! 조센징 몇 놈 때문에 대일본제국의 다케무라가 이렇게 골탕을 먹다니! 두고봐랏!"

이때 누군가 다급하게 취조실 문을 두드리는 소리가 들렸다.

"뭐야!"

비명과도 같이 날카로운 다케무라 경부의 목소리가 취조실 천정에 울려퍼졌다. 문을 열고 들어온 것은 젊은 순사였다. 순사는 다케무라 앞으로 성큼성큼 걸어와 척하니 경례를 올리더니 절도 있는 목소리로 말했다.

"네번째로 서명날인한 자를 끌고 왔습니다!"

"그래애?"

독립선언문에 네번째로 서명날인한 자를 끌고 왔다는 순사의 대답에 다케무라는 커다란 콧구멍을 벙싯거리며 묘한 웃음을 흘리기 시작했다. 그것은 마치 그날 하루 동안 자신이 받은 모든 수모를 네번째로 잡혀왔다는 그 조선인에게 한꺼번에 설욕해 주겠다는 뜻인지도 몰랐다.

"들여 보내라!"

"하!"

순사가 나가자 다케무라는 자못 만족스러운 얼굴로 의자에 비스듬히 기대앉아 카이젤식으로 기른 자신의 콧수염을 비비 꼬기 시작했다.

"흥! 돼먹지 않은 조센징! 본때를 보여주겠다!"

이윽고 한복 두루마기에 머리를 단정히 깎은 50대 후반의 건장한 조선사람 하나가 젊은 순사의 손에 이끌려 다케무라가 기다리고 있는 취조실로 들어왔다. 코 밑에 기른 여덟 팔자의 하얀 수염이 쉽게 범접하지 못할 위엄을 풍기고 있었다.

다케무라는 짙은 밤색의 눈알을 재빠르게 굴리며 취조실로 끌려온 조선인을 노려보았다. 그러나 끌려온 조선사람은 자신을 노려보는 날카로운 다케무라의 시선을 담담하게 마주 받았다.

다케무라의 눈빛을 호시탐탐 사냥감만을 노리는 사냥개의 그것에 비유할 수 있다면 이 조선인의 눈은 상대방의 의중을 깊숙이 꿰뚫을 듯한 내면의 빛을 뿜어대고 있었다.

다케무라는 입맛을 쩝쩝 다시면서 신경질적으로 서류를 뒤적이다가 불쑥 질문을 던졌다.

"그대가 이 선언서에 네번째로 서명날인한 백용성인가?"

"그렇다."

"백용성은 본명인가?"

"용성은 승명이고 속가의 본명은 백상규다."

하나 하나 질문이 던져질 때마다 용성스님은 망설이지 않고 간단하게 대답했다. 여전히 다케무라의 얼굴에서 눈을 떼지 않은 채로였다. 그 목소리는 위엄있는 풍모에 걸맞게 굵고 웅혼한 울림이 있었다.

다케무라는 만만치 않은 상대의 대응에 자존심이 상한 모양이었다. 그는 책상 위에 얹어놓았던 발을 내려놓고 자세를 바로 하더니 거만한 태도로 말했다.

"좋다! 그럼 본격적인 취조를 시작할테니 바른 대로 대답하기 바란다!"

다케무라 경부는 다시 서류를 펼치고 본격적인 취조에 들어갔다.

"본적은?"

"경성부 봉익동 1번지, 대각사."

"주소는?"

"본적지와 같다."

"출생지는 어디인가?"

"전라북도 장수군 하번암면 죽림리다."

"나이는 몇 살인가?"

"쉰 여섯!"

"관리나 의원을 지낸 적이 있는가?"

"그런 일 없다."

"각위, 훈공, 연금을 받은 적이 있는가?"

용성스님은 고소를 금치 못하며 말했다.

"세속을 떠난 사람에게 그런 과분한 일이 있을 수 있겠는가?"

"지금까지 형사처분이나 기소유예, 혹은 훈계방면을 받은 일이 있는가?"

"그런 일 없다!"

"직업은 무엇인가?"

"해온 일로 봐서는 승려직이 분명하나 승려가 직업일 수는 없지 않은가."

"어느 절에 있었는가?"

"십년 전까지는 가야산 해인사에 있었고, 그후에는 경성에 올라 와 대각사에 있었다."

"경성에서는 십년간 무슨 짓을 했는가?"

"승려로서 불교를 전했을 뿐 다른 일은 한 적이 없다."

"그래애?"

빠른 속도로 진행되던 질의문답은 여기서 잠깐 멈춰졌다. 다케 무라는 의미심장한 미소를 입가에 흘리며 여태껏 뒤적이던 서류를 덮었다. 마치 기왕의 질문은 요식행위에 불과하다는 태도였다.

"그렇다면 ……."

다케무라는 자신만만한 표정으로 서류 밑에 놓아둔 독립선언서를 용성스님의 코앞에 디밀었다. 본격적인 신문은 이제부터 시작될 모양이었다. 그러나 용성스님의 의연한 눈빛에는 추호도 흔들림이 없었다.

　"조선독립선언서라는 이 종이에 서명날인한 것은 틀림없는가?"

　"틀림없다."

　"손병희는 대체 언제부터 친하게 알고 지냈는가?"

　"그동안 몇 번 만났을 뿐 친하게 지낸 사이는 아니다."

　그 말은 거짓이 아니었다.

　한 사람은 천도교의 3대 교주로 다른 한 사람은 근대 불교의 거목으로, 종교부터 전혀 다른 두 사람이 가까워질 수 있는 계기란 실제적으로 거의 없는 것이었다. 사실 이번의 3·1 독립만세 일이 아니였다면 서로 얼굴을 마주댈 일이 있었겠는가.

　그러나 용성스님이 말을 다 끝내기도 전에 다케무라는 주먹으로 책상을 꽝꽝 치면서 위협적으로 소리치기 시작했다.

　"거짓말 하지 마랏! 그럼 대체 어떻게 해서 여기에 가담했단 말인가?"

　"만해 한용운의 권유로 가담하게 되었다."

　"한용운?"

　"그렇다!"

"어떻게 권유를 받았고, 어떻게 가담하게 되었는가, 소상히 밝혀라. 대체 뭐라고 권유하던가?"

"구라파 전쟁이 끝나고 파리강화회의에서 약소민족의 독립을 보장하려 하니 이때에 우리 조선도 독립을 해야 하므로 머지않아 독립을 선언하려 하는데 그대의 생각은 어떠한가 하고 물었다."

"그래서 뭐라고 대답을 했는가?"

"그런 일이라면 나도 마땅히 찬성한다고 대답하고 기꺼이 가담했다!"

용성스님의 담대하고도 거리낌없는 대답에 다케무라 경부의 눈빛이 대번에 달라졌다. 본격적인 취조에 들어가서도 용성스님의 태도에는 별다른 변화가 없었던 것이다.

"마땅히 찬성하고 기꺼이 가담했다?"

"그렇다!"

다케무라의 가뜩이나 좁은 미간이 더욱 찌푸려졌다. 그는 다시 책상을 치며 버럭 소리질렀다.

"이따위 선언서 한 장으로 조선이 독립하게 될 줄 알았는가!"

"그렇다!"

다케무라는 용성스님의 확신에 찬 단호한 대답에 기가 막히다는 듯 입맛을 쩝쩝 다셨다. 그러나 정작 알아내야 할 것은 따로 있었다. 다케무라는 교활한 미소를 머금은 채 은근한 어조로 용성스님에게 물었다.

"그러면 이 선언서는 어디서 인쇄했는가?"

"모른다!"

이들이 선언서의 인쇄와 배포망을 파악하기 위해 혈안이 되어 있는 것도 무리는 아니었다.

손병희가 낭독한 〈기미독립선언문〉이라는 인쇄물이 태화관 뿐만 아니라 파고다 공원을 비롯한 전국의 각종 시위와 집회장소에 늦가을 낙엽처럼 여기저기에 깔렸기 때문이었다.

"바른 대로 말해라! 선언서를 대체 몇 장이나 인쇄했는가?"

"그것도 나는 모른다!"

더 이상 참기 어렵다는 듯 다케무라는 책상을 마구 두들기며 소리쳤다.

"솔직히 말해라! 이 선언서를 시중에 배포한 자는 누구누구인가?"

"그것도 나는 모르는 일이다!"

화가 머리끝까지 난 다케무라는 드디어 들고 있던 서류를 거칠게 내동댕이쳤다. 그는 두 눈을 부릅뜨고 용성스님을 한껏 노려보았다. 한동안 정적이 흘렀다. 마침내 다케무라는 어금니를 사려문 채로 말했다.

"좋다! 어디 한번 두고보자!"

다케무라는 고개도 돌리지 않고 밖을 향해 외쳤다.

"이봐! 기무라!"

잠시 후 예의 그 젊은 순사가 나타나 다케무라 경부에게 경례를 올렸다.

"하!"

"이 자는 말로 해서 될 놈이 아니다. 일단 유치장에 처넣었다가 다시 족쳐야겠다!"

"하!"

경무총감부 다케무라 경부의 취조는 집요하고도 악랄한 것이었다. 수시로 불러내는 통에 며칠 동안 잠조차 제대로 잘 수가 없었고, 한번 불러내면 갖은 협박과 위협을 서슴지 않았다. 독립선언서를 시중에 배포한 사람을 대면 종단의 높은 감투를 주겠노라는 은근한 제의를 해오기도 했다.

그러나 용성스님은 그 어떤 위협에도 한치의 흔들림없이 자신에게 닥쳐온 시련의 고비들을 꿋꿋이 이겨내었다. 지칠 줄 모르는 용성스님의 인내심과 투혼에 다케무라는 끝내 두 손을 들고 말았다.

고종 임금의 국상을 당하여 온 국민이 슬픔에 차 있던 1919년은 그 초반부터 세계정세가 급격히 변하여 미국 대통령 윌슨이 민족자결주의를 부르짖던 때였다. 이때를 놓치지 않고 조선의 독립을 염원하던 세력들이 은밀히 힘을 규합하기 시작했다.

그 당시는 한일합방으로 인해 무단정치가 판을 치고 있었기 때문에 언론, 출판, 집회, 결사의 자유가 완전히 박탈된 상태였으며 정당, 사회단체, 군대, 노조 등은 존재할 수조차 없었다. 조선인들이 합법적으로 모일 수 있는 기틀은 주로 종교단체와 학교밖에 없었다. 3·1운동의 중심적 역할을 하였던 게 바로 종교단체였다는 사실은 이러한 상황에서 볼 때 아주 자연스런 일이었다.

손병희를 중심으로 한 천도교 세력과 이승훈을 중심으로 한 기독교 세력까지도 국내외적 정세에 발맞추어 서로의 교리와 이해관계를 초월하여 민족의 독립을 위해 힘을 규합하기 시작했다.

3월 1일의 거사를 위해 천도교의 최린, 기독교의 이승훈, 불교계의 만해 한용운이 실질적인 일을 주도했다. 만해 한용운은 용성스님보다 16살 연하로 어려울 때마다 찾아와 지도를 받곤 하던 사람이었다.

이들에게 가장 중요한 것은 비밀이 누설되지 않는 것이었다. 또한 독립선언문 서명을 하는 사람은 사형을 당할 수도 있었기 때문에 이 일에 가담하기 위해선 목숨을 내놓을 만한 동지들의 규합이 무엇보다 필요했다.

한용운 스님은 불교계 대표 추천을 놓고 무척 고심을 했다.

당시 불교계는 왜색불교에 침윤되어 썩어가고 있던 상황이었다.

숱하게 많은 승려들이 있었지만 그 누구도 완전히 믿을 수가 없었다. 어떤 역경 속에서도 완전히 비밀을 지키고 목숨까지 내놓을 만한 이가 마땅치 않았던 것이다. 떠오르는 사람은 오직 용성스님밖에는 없었다.

한용운 스님은 고심 끝에 백용성 스님을 찾아갔다. 생각대로 용성스님은 단 한마디로 찬성하였다. 그리고 어디에 쓰든지 마음대로 사용하라고 자신의 인장까지 내어주었다.

감격한 한용운 스님은 백용성 스님을 불교대표로 모시고 3·1 독립만세에 대한 일을 구체적으로 상의하였다.

"스님! 거사는 3월 1일로 정했습니다. 손병희 선생이 이미 독립선언문 초안을 작성하시었고, 그 선언문 말미에 각 대표들이 서명하기로 돼있습니다. 괜찮으시다면 스님께서도 …… ."

만해의 이야기를 들은 용성스님은 매우 기뻐하였다.

"오오! 그런 일이라면 마땅히 찬성하네! 고통에 빠진 중생들을 교화하겠다고 출가한 승려가 그런 일에 나서지 않으면 그 누가 나서겠는가? 내, 필요하다면 기꺼이 가담하겠네."

"고, 고맙습니다! 스님!"

용성스님은 손병희가 작성한 독립선언문에 곧바로 서명했다. 민족의 독립을 위하는 길이었기에 주저할 아무런 이유가 없었던 것이다.

2
빼앗긴 나라를 찾는 게 죄가 된다면

다케무라 경부에게 1차 조서를 받은 용성스님은 마침내 서대문 감옥으로 이송되었다. 그러나 다케무라의 손을 떠났다고 해서 모든 고초가 끝난 것은 결코 아니었다. 그해 3월 18일 하시무라 검사의 심문을 받게 되었다.

하시무라 검사는 도수 높은 안경알 사이로 쉴새없이 눈을 깜빡이면서 용성스님에게 질문을 던졌다. 여자처럼 가늘고 신경질적인 목소리였다.

"태화관 지점에 모이라는 연락은 언제 누구에게서 어떻게 받았는가?"

"며칠간 연락이 없기에 내가 직접 한용운의 집으로 찾아가서 기다렸다가 직접 들었다."

"태화관 지점에 들어가니 누구누구 모여 있던가?"

"그 이름을 다 기억할 순 없고 손병희, 오세창, 권동진, 한용운 그리고 나까지 스물 아홉 명이었다."

"피고가 태화관 지점에 도착한 이후 누가 무슨 말을 했는가?"

"한용운의 인삿말이 있은 뒤 곧바로 조선독립만세 삼창을 부르자 금방 경찰이 들이닥쳐 체포되었다."

하시무라 검사는 책상 위에 놓인 경무총감에서 보내온 서류를 뒤적이다가 다시 입을 열었다.

"경무총감부 조서에 의하면 한용운의 권유에 의해 가담했다고 되어 있는데 마지못해 억지로 가담했는가?"

"아니다."

"그렇다면?"

"독립을 한다는 게 너무 좋아서 기꺼이 가담했다!"

대답을 하는 용성스님의 목소리에서 힘과 무게가 느껴져 왔다.

하시무라는 자기 앞에 앉아 있는 용성스님을 힐끗 쳐다보았다.

'경무총감부에서 조사를 끝내고 검찰로 넘어오는 피의자들은 대부분 지칠 대로 지쳐있기 마련인데 앞에 앉아 있는 저 용성이라는 조선중이 보이는 여유와 위엄은 도대체 어디서 나오는 것일까. 하지만 결국 이 용성이란 중도 대일본제국이 가진 힘과 권위 앞에 무릎 꿇게 될 날이 오게 될 것이다. 이 자가 보이는 이 여유작작한 태도 역시 허세에 불과하리라. 피래미 같은 조센징 몇 놈이 설쳐댄들 갈 곳은 감옥과 무덤 속밖에 더 있겠는가.'

생각이 여기에까지 미친 하시무라의 입가에는 한 줄기 싸늘한 냉소가 번지기 시작했다. 비로소 상념에서 벗어난 하시무라는 다시 안경알을 번득이며 신문을 하기 시작했다.

"다른 피고의 자백에 의하면……."

하시무라 검사는 잠시 말을 멈추고 오른손 검지로 독립선언문의 한 대목을 짚어 보였다.

"이 선언문 가운데 여기 공약 삼장 두번째에 최후의 일인까지, 최후의 일각까지 민족의 정당한 의사를 쾌히 발표하라, 이런 대목이 있는데 바로 이 대목을 피고가 넣자고 했다는 게 사실인가?"

"선언문 내용에 기백이 너무 없어서 그 점을 지적했을 뿐, 구체적인 문장을 써준 일은 없다."

"출가승려라 설마했더니만 보통 악질이 아니구만!"

하시무라는 눈을 가늘게 뜨고 용성스님을 바라보며 코웃음을 쳤다. 그 얼굴에는 앞에 앉아 있는 조선승려에 대한 경멸의 빛이 가득했다.

하시무라 검사에게 있어 용성이란 존재는 도를 깨친 고승도 선지식도 그 무엇도 아닌 한낱 조센징에 불과하였다.

조센징! 이 얼마나 가소로운 이름이냐?

조센징이란 말 속에는 조선인에 대한 모든 경멸과 편견과 멸시가 담겨져 있었다.

'더러운 조센징!'

하시무라는 비웃음이 한껏 담긴 얼굴로 용성스님을 바라보며 이렇게 물었다.

"그렇다면 피고는 이후로도 독립운동을 계속할 심산인가?"

용성스님은 하시무라의 눈을 정면으로 마주보았다. 용성스님의 우물처럼 깊고 잔잔한 눈빛이 어느 순간 출렁이더니 마침내 온 얼굴에 환한 미소의 물결을 만들어냈다. 그것은 조소도 쓴웃음도 아니었다. 그것은 바로 자신이 해온 일에 대한 확신과 자부심의 표현이었다.

"기회만 주어진다면!"

하시무라 검사는 경악을 참지 못하고 자기도 모르게 의자에서 벌떡 일어났다. 씨근씨근하는 하시무라 검사의 거친 숨결이 앞에 앉아 있던 용성스님에게까지도 전해져왔다.

"그래? 어디 한번 견뎌보아라! 독립운동할 생각이 남아있게 되는지 견뎌보면 알게 될 것이다!"

말을 마친 하시무라 검사는 대기해 있던 간수를 향해 턱짓을 까딱 했다. 곧이어 용성스님은 다시 간수의 손에 이끌려 형무소로 끌려 가게 되었다.

백용성…….

근세 한국불교의 거봉 용성스님은 만해 한용운 스님과 함께 불교계의 대표로 3·1 독립선언에 가담했다는 죄 아닌 죄로 끌려가 온갖 고초를 겪고 있었다.

용성스님 뿐만 아니라 3월 1일의 독립선언에 가담했던 민족대표들 또한 모조리 체포되어 하루에도 몇번씩 일본인 검사의 혹독한 신문을 되풀이해서 받아야 했다.

용성스님은 날로 강도를 더해가는 하시무라 검사의 집요한 신문에도 굴하지 않고 꿋꿋이 견디내고 있었다.

하시무라가 날이 갈수록 초조함을 이기지 못하고 격한 감정을 드러내는 데 비해 용성스님의 대응은 한치의 동요도 없었으니 실로 놀랄 만한 일이었다.

하시무라의 질문에 대해 간단하면서도 일목요연하게 대답할 때를 제외하면 용성스님의 태도는 마치 면벽하고 좌선에 들어 마군과 싸우는 도승의 모습이었다. 하시무라가 아무리 사납게 고함치고 책상을 치며 발악을 해도 도대체 아무런 소용이 없었다.

두 손에 채워진 포승줄도 그 좌선의 경지를 방해하지 못했다. 두 눈은 허공을 향해 부드럽게 열려져 있었고, 입가에는 가느다란 미소가 감돌았다.

더 이상 하시무라 검사는 용성스님의 적수가 아니었다. 스님의

자신만만한 태도가 마치 자신을 조롱하는 것처럼 느껴져 약이 오를
대로 오른 하시무라는 곤봉으로 마구 책상을 내리쳤다.

"감히 내 앞에서 지금 졸고 있는 건가? 내 말이 안 들리나? 다른
피고들 가운데 이미 자백한 자가 있으니 모른다고 잡아떼도 소용없
다. 바른대로 대랏!"

"양심에 부끄러운 일을 하지 않았거늘 어찌 사실대로 말하지 않
겠는가?"

"그렇다면 그대는 손병희로부터 돈을 얼마나 받았는가?"

"돈이라면 단 일전도 받은 일이 없다!"

"거짓말 마랏! 다른 피고는 체포될 경우에 대비해서 가족들의
생활비를 미리 주는 조건으로 서명날인 했다고 자백을 했는데……
그대는 왜 거짓말을 하는가?"

"나는 그런 일 없다! 잃어버린 나라를 찾자는 독립선언인데 무
슨 조건이 따로 있을 수 있겠는가?"

"다른 피고가 자백을 했는데도 딴소리만 늘어놓을 것인가?"

"다른 사람의 일은 모르거니와, 나는 이미 출가한 승려로 체포될
경우라고 하더라도 생활비를 걱정해야 할 가족이 없는 몸이다."

당연한 일이었다. 당황한 하시무라 검사는 순간적으로 말문이
막혔다. 출가한 승려들도 처자식을 둘 수 있는 일본불교와 오랜 역
사를 가진 조선불교의 전통이 다르다는 것은 하시무라 역시 이미

잘 알고 있던 바였다.

"그, 그렇다면! 그렇다면, 아무 조건도 없이 이 선언서 서명에 가담했단 말인가?"

"그렇다."

"그럼 다시 한 가지 묻겠다. 이 독립선언문은 최남선이 썼는가?"

"나는 모른다."

"그럼 한용운이 썼는가?"

"내 맡은 일이 아니므로 나는 모른다고 하지 않았느냐!"

자리를 박차고 일어선 하시무라 검사는 곤봉으로 자신의 손바닥을 가볍게 치면서 용성스님이 앉아 있는 주위를 맴돌기 시작했다.

"피고는 보통 악질이 아니다. 뭐든지 그저 모른다, 모른다, 모른다. 아니다, 아니다, 아니다⋯⋯."

하시무라 검사는 용성스님의 등 뒤에서 갑자기 걸음을 멈추었다. 그는 짧고 단정하게 깎인 용성스님의 뒷머리를 노려보다가 다시 말을 이었다.

"그렇게 발을 뺀다고 해서 이 하시무라 검사가 호락호락 넘어갈 그런 바보천치로 보이나?"

"⋯⋯."

하시무라는 무슨 생각이 들었는지 입가에 소리없는 웃음을 흘렸다. 그는 아무런 대답없이 묵묵히 앉아 있는 용성스님의 귀에 입을 가까이 대고 나지막히 소곤거리기 시작했다.

"우리 이럴 필요 없지 않을까?"

일본검사는 아무리 위협하고 으름장을 놓아도 소용이 없자 이번에는 은근한 말투로 달래는 것이었다. 그는 독립선언서를 용성스님 앞에 펼쳐 보이며 설득작전을 폈다.

"이 선언서를 직접 작성하지도 않았다면, 그리고 인쇄소도 모르고 몇 장을 찍었는지도 모르고 돈도 받지 못했다면, 게다가 이 선언서를 배포하지도 않았다면 그대는 주범이 아니라 종범일 뿐이군. 그러니 그대와 내가 무슨 원수지간도 아닌데 이렇게 피곤하게 실랑이할 필요가 없질 않는가."

그러나 용성스님은 결연히 고개를 흔들며 말했다.

"빼앗긴 나라를 찾는 일에 주범, 종범이 따로 있을 수 없다. 나도 분명히 주범의 한 사람임을 부인하지 않는다."

변함없는 용성스님의 대응에도 일본 검사 하시무라는 거머리처럼 달라붙어 스님을 설복시키려 안간힘을 썼다.

"이럴 필요 없는 일 아닌가? 잘만 하면 그대는 훈방조치로 풀려날 수도 있다. 그리고 그대는 승려가 아닌가?"

"나 혼자 풀려나기는 원치 않는다."

"나 이거야!"

하시무라는 답답하다는 듯이 제 가슴을 치며 말했다.

"혼자 똑똑한 척하는 것은 바보짓이다. 피고들 가운데 이미 잘못을 뉘우치고 우리 일본에 협조하는 자도 있다는 것을 잊어서는 안 된다. 어떤가, 그대도 우리 일본에 협조할 의향은 없는가?"

"다른 사람은 각자가 제 할일을 알아서 할일이되 나는 더 이상 협조해줄 일이 없다."

"잘 생각해보는 것이 좋을 것이다. 오늘 이 심문은 그대를 위해서 내가 특별히 마련한 비공식 심문이란 것을 왜 모르는가? 그래서 오늘 심문은 기록도 하지 않고 있는데 그걸 보면서도 내 말뜻을 모르겠는가?"

"공식이건 비공식이건, 기록을 하건 기록을 아니하건, 그것은 내가 관여할 바 아니나, 나는 더 이상 털어놓을 것도 없고, 이 사건에 대해서는 더 이상 아는 것도 없다."

용성스님이 그렇듯 요지부동이었건만 하시무라 검사는 다시 긴한 표정으로 입을 열었다.

"내 그대에게 한 가지 알려줄 게 있다. 그대의 신도 가운데 총독부에 다니는 고급간부의 부인이 있었는데 알고 있는가?"

"누구누구라고는 정확히 기억할 수 없으나 두어 사람 있었을 것이다."

"그분이 간곡히 부탁을 해왔다. 신분보장을 자기가 해주겠으니 웬만하면 풀려나오게 해달라고 말이다."

"나는 그런 부탁을 한 일이 없다."

하시무라는 다 짐작하고 있었다는 듯이 능글맞게 웃으며 말했다.

"그건 나도 알고 있다. 그 신도가 스스로 알아서 신분보장을 해준다니 얼마나 기특하고 고마운 일인가? 단 그대가 풀려나가려면 대답을 이렇게 해야 한다. 한용운이 건의서라고 하면서 도장을 찍으라기에 읽어보지도 않고 그냥 찍었다고 말이다. 알겠는가?"

그러나 용성스님의 대답은 한결같을 뿐이었다. 그의 곧은 마음은 커다란 바위와 같아서 어떤 간교한 술책에도 꿈쩍하지 않았다.

"나는 결코 그렇게는 할 수 없다."

"징역을 사는데도 말인가?"

"빼앗긴 제나라를 찾자는 독립선언에 가담한 게 죄가 된다면 달게 받겠다."

"이것봐라. 조선속담에도 누이 좋고 매부 좋다는 말이 있질 않은가? 그대가 내 말대로 하면 그대는 이 고생 안하고 풀려나서 좋고, 나는 나대로 그대와 피곤하게 실랑이하지 않아도 되니 좋고, 그대가 나오기만을 고대하던 신도들도 그 얼마나 좋을 것인가. 모든 게 다 좋질 않은가? 자자, 쓸데없는 고집 부리지 말고 내 말대로 하는 게 좋을 것이다.”

“내 몸 하나 편하자고 거짓말을 할 수는 없다.”

드디어 하시무라 검사의 인내가 한계에 이르렀다. 그는 보기에 처참할 정도로 얼굴을 일그러뜨리며 소리치기 시작했다.

“이런 바보, 멍청이 같으니라구! 그대는 내가 시킨 대로만 대답하면 쉽게 풀려날 수 있다! 그렇지 않고 범죄사실을 모조리 다 인정한다면 그대는 징역살이를 면치 못할 것이다!”

그러나 용성스님은 끝끝내 검사의 회유책을 거절하고야 말았다. 전향공작에 실패한 하시무라 검사는 마침내 용성스님을 3·1 독립만세사건의 주범 중 하나로 공소를 제기하기에 이르렀다.

결국 용성스님은 재판에 회부되게 되었다. 판사의 신문에 대해서도 그의 꿋꿋한 태도는 변함이 없었다. 용성스님은 범죄 아닌 범죄 사실을 정정당당히 인정하였으며, 덧붙여 기회만 주어진다면 앞으로도 독립운동을 계속할 것이라고 대답하였다.

처음 지방법원에서 가진 예심에서 심리한 결과는 사건 내용이 내란죄에 해당한다는 결정이 내려졌다. 그러한 예심 결정에 의하여 이 사건은 고등법원 특별 재판부에 송부되었다.

그러나 특별 재판부 예심에서 심리한 결과 내란죄는 아니고 국가보안법과 출판법 위반에 해당된다고 하여 사건은 다시 지방법원에 반송되었다.

마침내 선고공판 날이었다. 웅성거리는 장내의 소란이 어느 정도 가라앉자 판사가 선고를 내리기 시작했다.

"피고 백상규, 일명 백용성!"

"예!"

법정에서까지도 시종 언짢은 표정으로 용성스님을 주시하고 있던 하시무라가 간수를 향해 큰소리로 외쳤다.

"피고를 기립시키지 않고 뭘하고 있나?"

"하!"

당황한 간수가 용성스님의 팔을 마구잡이로 잡아올리며 낮게 소리쳤다.

"기립! 기립! 빨리 빨리!"

우악스런 손길에 용성스님이 비틀거리며 일어섰다. 몇 개월 동안의 혹독한 신문을 견뎌낸 그의 얼굴은 초췌하기 이를 데 없었으나 그 눈빛만은 형형하게 타오르고 있었다.

곧이어 판결을 언도하는 판사의 냉냉한 목소리가 들려왔다.

"피고 백상규는 모든 범죄 사실을 스스로 인정했고 그 내용이 다른 피고들의 진술과도 일치하므로 보안법 제7조 위반죄로 징역 1년6월을 언도한다!"

"쾅쾅쾅!"

이렇게 해서 용성스님은 1년 6개월 동안 징역살이를 해야 하는 기결수가 되어 죄수복을 입고 서대문 형무소에서 옥살이를 하게 되었다.

3
육자진언은 다 외우셨는가?

민족대표 33인의 독립선언을 기점으로 해서 요원의 불길처럼 일
어나기 시작한 독립운동은 민족대표 33인이 체포 구속된 후에도
팔도강산 방방곡곡으로 번져나갔다.

이에 맞선 일본의 경찰과 군대는 무자비한 탄압을 자행하기 시
작했다. 이때 살해된 조선인의 숫자가 무려 7만5백9명이요, 부상자
가 무려 1만5천9백4십8명이나 되었다.

독립운동에 연루되었다 하면 남녀노소를 불문하고 잡아들인 탓
에 그야말로 조선 전역의 형무소란 형무소는 사상범들로 초만원을
이루었다. 용성스님이 있던 서대문 형무소 역시 사정은 마찬가지였
다. 방방이 제대로 다리 뻗고 누울 공간조차 없어 온 감옥이 터져
나갈 지경이었다.

　그런 북새통 속에서도 용성스님은 부처님 말씀을 펼침으로써 사람들로 하여금 악명 높은 서대문 형무소의 스산한 나날들을 이겨나가게 만들었다. 스님은 절대로 사상범과 일반 죄수를 차별하지 않았다. 온화한 미소와 불법을 매개로 형무소 안의 조선인들을 교화시켜 나갔다.

　얼마 지나지 않아 용성스님의 존재는 서대문 형무소 내의 살아 있는 부처요, 널리 존경받는 정신적 지주로서 자리잡게 되었다. 대부분의 사람들이 고승이란 신선처럼 흰 수염을 길게 기르고 깊은 산중에 틀어박혀 도만 닦는 줄로 알고 있었던 시절이었다.

　그런데 용성스님의 모습은 그런 일반적인 통념을 완전히 깨뜨리는 파격적인 것이었다. 무엇보다도 용성스님은 조선의 독립을 바라는 뜻있는 운동가였으며 이른바 3·1 독립선언을 한 도인스님이였다. 그런 존경스런 분이 자신들과 함께 생활하면서 함께 고초를 겪고 있는 것이다.

　스님은 밥 한끼를 먹더라도 그 밥에 담긴 소중한 뜻을 형무소 안의 모든 사람과 나누고자 했으며 간수의 감시가 소홀해지는 틈을 타 은밀히 부처님 말씀을 전파하였다. 때때로 스스로의 마음을 다스릴 수 있는 염불법을 가르치기도 했다.

　그러던 어느 날이었다. 무거운 금속성의 구둣발 소리가 복도 끝에서부터 쿵쿵 울려오더니 용성스님이 있는 감방 앞에 와 멎었다.

철컥 소리와 함께 육중한 철문이 지체없이 열렸다. 거무튀튀한 얼굴의 젊은 담당 간수였다.

"백용성, 이리 나왓!"

아직도 조사할 것이 남았단 말인가. 의아한 생각을 마음속에 묻어둔 채 용성스님은 천천히 몸을 일으켰다.

"따라 왓!"

한참동안 용성스님을 인도해 가던 간수가 문득 입을 물었다.

"이동헌이란 자를 아는가?"

"이동헌?"

동헌은 바로 용성스님 자신이 출가를 허락하고 머리를 깎아준 제자의 이름이었다. 동헌이란 이름자만 들어도 뭉클하고 반가운 마음이 들었다. 그러나 이게 또 무슨 함정일지도 모르겠다는 생각이 반가운 생각을 내리눌렀다. 시원한 대답이 나오지 않자 성질급한 간수가 언성을 높이며 대답을 재촉했다.

"아는가, 모르는가?"

"그는 내 시자이니 모를 리가 있겠는가?"

"시자?"

"그렇다."

"시자라는 말을 처음 들어보는 간수는 의심쩍은 눈초리로 고개를 갸웃거리다가 용성스님에게 물었다.

"시자라는 소리는 대체 무슨 소린가?"

"스승의 시중을 들면서·승려될 공부를 하는 사람을 시자라고 부른다."

"그럼, 이동헌이라는 자가 틀림없는 그대의 시자란 말인가?"

"틀림없는 내 시자다. 그런데 그 아이에 대해 왜 묻는가?"

"그 자가 면회를 신청했기에 수상쩍어서 확인해 본 것이다. 그 자와 면회를 하겠는가?"

"제자가 스승을 찾아왔다면 만나주는 것이 도리가 아니겠는가?"

용성스님은 벌써 형이 확정되어 징역을 사는 몸이고, 누가 찾아왔다면 당연히 허락해야 할 면회였건만 용성스님에 대한 저들의 의심이 좀체 수그러들 줄 모르는 게 안타까울 뿐이었다.

제자를 만나주는 게 스승의 도리라는 용성의 말조차도 못 미더웠던지 간수는 또다시 제동을 걸고 나섰다.

"잠깐!"

간수는 불현듯 가던 걸음을 멈추고 들고 있던 서류를 꺼내 펼쳤다.

"면회를 허락하기 전에 한 가지 더 확인하겠다! 이동헌이라는 자가 정말로 시자라면 이동헌의 고향이 어딘지 그것쯤은 알고 있겠지?"

기가 찰 노릇이었다. 그러나 어쩌겠는가, 용성스님은 자신이 형무소에 매인 몸이라는 뼈아픈 사실을 통절히 느끼며 익히 아는 동헌의 고향 주소를 간수에게 일러주었다.

"충청도 부여군 외산면 판교리라고 기억하고 있다."

"흠! 좋다! 하지만 면회하는 도중에 불온한 말을 하면 면회중지는 물론 앞으로도 계속 면회금지 처분을 당하게 될 것이다. 이걸 반드시 명심해라! 알겠는가?"

접견실엔 이미 용성스님의 시자 동헌이 초조한 얼굴로 기다리고 있었다. 동헌은 스승인 용성스님이 모습을 드러내자 감격어린 목소리로 외쳐불렀다.

"스님!"

"그래, 자네가 오셨는가?"

"스님! 스님께서 이렇게 고생을 하시게 되다니 이 일이 대체 어쩐 일이옵니까?"

"그래. 대각사 대중들은 다들 별고 없으신가?"

"예, 스님. 대덕화보살님, 그리고 최상궁이 돌봐주셔서 잘들 지내고 있사옵니다."

"흐음……."

티없이 맑은 제자 동헌의 눈빛을 대하자니 스님의 마음이 몹시 아려왔다.

세상물정도 모르는 젊은 아이가 이렇듯 큰일에 접하고 얼마나

상심하였을꼬? 비록 혹독한 과정이기는 해도, 이것 역시 제 인연이
요, 인생 공부리라.

"자네가 나한테 올라온 게 얼마나 되었던고?"

"지난 정월이었습니다, 스님 …….."

"그래, 올라온 지 몇 달도 되지 아니 해서 이렇게 되었으니 자네
한테 면목이 없네."

"아, 아니옵니다, 스님! 스님께서야 큰일을 하시다가 …….."

"허허, 이 사람! 내 얘길 들으시게."

"예, 스님"

"내 자네한테 아무것도 가르쳐주지 못한 채 이렇게 되었으니 미
안하기 그지없으이 …….."

"아, 아니옵니다, 스님!"

"흐음, 가만 있자. 그런데 그동안 내가 외우라던 육자진언은 부
지런히 외우셨는가?"

"예? 예 …….."

시자 동헌은 감옥에 있는 스승 면회를 온 자리에서 난데없는 육
자진언 이야기가 튀어나오자 당황스럽기 짝이 없었다. 그러나 그것
은 한번 해보는 말이 아니었다. 용성스님은 두 사람의 대화 내용을
낱낱이 듣고 있는 간수 옆에서도 천연덕스럽게 제자의 공부 정도를
점검하는 것이었다.

"어디 한번 외워보시게나."

"옴, 마, 니, 반, 메, 훔……."

"흐음. 그럼 신묘장구대다라니는 제대로 외워오셨는가?"

이건 더욱 난감한 주문이었다. 육자진언은 그런 대로 외울 수 있었지만 신묘장구대다라니는 도무지 자신이 없었던 것이다.

"예. 하오나 저 그게 아직……."

"어디 한번 외운 데까지 외워 보시게……."

"신묘장구대다라니. 나모라 다나다라 야야 나막알약 바로기제 새바라야 모지사다바야."

용성스님은 잘 외우질 못해 더듬거리는 제자의 암송을 그 정도에서 중지시키며 말했다.

"그만 되었네. 아직 제대로 다 외워오질 못했으니, 다음에 올 적에는 반드시 제대로 다 외워와야 하네! 아시겠는가?"

"예, 스님. 죄송하옵니다."

"신묘장구대다라니는 아주 소중한 것이니……."

"중지!"

한켠에 앉아서 두 사람의 대화를 듣고 있던 간수가 곤봉으로 냅다 창살을 내리치면서 소리쳤다.

"중짓! 면회 끝! 빨리 나갓!"

간수는 두 사람을 향해 버럭버럭 소리를 지르더니 혼잣소리로 이렇게 말했다.

"이것들이 나를 아주 바보 천지로 알고 있나? 내게도 다 생각이 있다!"

심상치 않은 간수의 표정과 스승의 얼굴을 번갈아 쳐다보던 동헌이 낮은 목소리로 얼른 용성스님에게 속삭였다.

"아, 예. 그럼 스님 몸조심 잘하십시오."

"그래, 내 걱정은 말고 다음번에는 신묘장구대다라니를 꼭 외워 오시게."

"예. 걱정마십시오, 스님……."

그 새를 참지 못하고 간수는 용성스님의 등을 곤봉 끝으로 밀어내며 다시 한번 소리질렀다.

"빨리 빨리 나가란 말이닷!"

용성스님은 왜놈들 앞에서는 대의를 지키기 위해 칼날처럼 맞섰으나, 제자들이나 대중들에게는 자애롭기 그지없는 사람이었다. 심지어는 걸인에게조차 꼭 존대말을 쓸 정도였다.

그런데 스님의 그런 성품을 모르는 무지한 간수는, 이날 용성스님이 서대문 형무소로 면회온 제자에게 존대말을 쓴데다가 자기로서는 뜻도 알아듣지 못할 육자진언과 신묘장구대다라니를 외우게 하는 것을 보고 대단한 의심을 품게 되었다.

그러한 형무소 측의 의심으로 인해 그날밤 종로 봉익동에 있는.

대각사에서는 한바탕 촌극이 벌어지게 되었다.

그날 밤이 이슥해질 무렵 낯선 사내 하나가 종로 봉익동에 나타났다. 조용한 동네에 돌연 낯선 사내가 나타나자 무리지어 다니는 동네 개들이 사내를 쫓아가며 컹컹 짖어대었다. 그러나 그는 개 짖는 소리쯤은 아랑곳없다는 듯 대각사 쪽으로 성큼성큼 발걸음을 내딛었다.

잠시 후 대각사에 당도한 사내는 서슴없이 문을 두드리기 시작했다.

"이보시오! 이보시오!"

잠시 후 삐꺽이는 소리와 함께 늙수그레한 보살 하나가 열린 문 틈으로 고개를 내밀었다.

"에 여기가 대각사 맞는가?"

일본인으로 보이는 험악한 인상의 낯선 사내가 대뜸 반말조로 지껄이자 겁에 질린 노보살은 눈을 휘둥그레 뜨고는 떨리는 목소리로 더듬더듬 말했다.

"예에 …… 그런데 이 밤중에 …… 누굴 찾으시는지요?"

"이 절에 이동헌이라는 자가 틀림없이 있는가?"

"이 …… 동헌 …… 아, 아이구! 저 시봉스님 말씀이군요? 그런데 시봉스님은 왜 찾으십니까?"

"나하고 함께 가야겠으니 지금 당장 나오라고 해!"

"아니 이 밤중에 어디를 가시게요?"

"어디긴 어디겠나, 경찰서지!"

"예에? 경······ 찰서요?"

노보살은 경찰서라는 말을 듣더니 금방이라도 자지러질 듯이 하얗게 질려버리는 것이었다. 그도 그럴 것이 안그래도 이 절을 창건한 용성스님이 끌려가 한바탕 소동이 난 판에 이번엔 시자 동헌스님까지 경찰서로 끌고 가겠다니 사색이 되지 않을 수 없었다.

어쨌든 일이 이렇게 되어 용성스님의 시자 동헌은 영문도 모른채 잠을 자다가 불려나오게 되었다. 용성스님의 제자로 들어와서 겨우 두어달 시봉을 들다가 3·1독립운동을 겪게 된 동헌이었다.

동헌은 잠이 덜 깬 눈을 꿈벅거리며 자신을 깨운 노보살을 의아하게 바라보았다. 노보살은 덜덜 떨면서 낯선 사내를 턱짓으로 가리켰다.

"저, 저, 바로 저기 서있는 저 사람이 시봉스님을 찾는데요."

동헌은 고개를 끄덕이며 사내에게 다가갔다.

"저를 찾아오셨다구요?"

"나를 알아보겠는가?"

"어두워서 잘 모르겠습니다만······."

"오늘 낮에 내 앞에서 면회를 하고 가지 않았는가?"

동헌이 한밤중에 대각사를 찾아온 이 낯선 사내의 얼굴을 자세히 뜯어보니 그는 바로 아까 스승과 면회할 때 자신들을 지켜보던 간수였다. 동헌은 놀람 반, 의아스러움 반의 심정으로 고개를 끄덕이며 말했다.

"아, 예. 감옥소 간수 나으리시군요."

사내는 감옥소 간수 라는 표현이 적잖이 못마땅했는지 코웃음을 치며 동헌에게 말했다.

"흠! 내가 그렇게밖엔 보이지 않던가?"

"예에?"

"두 손을 좀 내밀어 볼까?"

"손을요? 아니 왜요?"

갑자기 손을 내밀어 보라니 시자 동헌은 당혹스럽기 그지없어 그렇게 반문했다. 그러나 사내는 버럭 소리를 지르기 시작했다.

"내밀라면 내밀 것이지, 웬 말이 이렇게 많아? 엉!"

"대체 무슨 일이신데 이러시는지."

"좋아! 그럼 내가 알게 해주지."

사내는 잔인한 미소를 지으며 동헌의 손목을 잡아채더니 덜컥 수갑을 채워버리는 것이었다. 동헌은 깜짝 놀라 사내에게 소리쳤다.

"아니 이거 왜 이러십니까?"

곁에서 이를 지켜보던 노보살도 사내의 팔에 매달리며 울부

짖었다.

"어이구 이게 대체 무슨 일이래요, 예에? 아니 나으리?"

사내는 어쩔 줄을 모르는 두 사람을 싸늘한 눈초리로 바라보며 말했다.

"나를 보통 간수로 보았다간 이렇게 큰코를 다친다. 나는 간수가 아니라 서대문 형무소에 파견된 고등계 형사야."

"예에? 형사라구요?"

그 사내가 보통 간수가 아니라 사실은 서대문 형무소에 파견된 고등계 형사라는 말에 동헌의 얼굴이 백지장처럼 새하얘졌다. 사내는 느물느물 웃으면서 말을 이었다.

"너희들 눈에는 내가 겨우 간수로밖엔 안 보였겠지. 그래서 내 눈에 이렇게 걸려든거구, 으응? 하하하……."

사내는 무엇이 그리도 통쾌한지 거침없이 웃어댔다. 눈빛은 조금도 변하지 않은 채 입만을 벌려 기괴하게 웃는 그 웃음소리는 듣는 사람을 소름끼치게 만들었다. 한참을 웃어대던 사내는 문득 웃음을 그치고 동헌의 손목에 채운 수갑을 거칠게 끌어당기며 소리쳤다.

"자, 가잣!"

"아니 나는 아무 죄도 지은 게 없는데 왜 이러십니까?"

동헌은 두 발을 버팅기며 끌려가지 않으려고 발버둥쳐 보았으나 소용이 없었다. 젊디젊은 시자스님이 끌려가게 되자 노보살은 사내의 팔에 매달려 눈물로 애원하기 시작했다.

"아이구 형사 나으리! 제발 이러지 마시고 놓아주십시오. 우리 스님, 용성스님도 잡혀가셨는데 아무 죄도 없는 시봉스님까지 이러시면 안됩니다요, 예에?"

그러나 사내는 자신을 붙들고 늘어진 노보살을 무지막지하게 뿌리쳐버렸다.

"할망구는 저리 비켜!"

노보살은 허깨비처럼 땅바닥에 쓰러졌다.

"아이쿠! 아이쿠! 형사 나으리!"

노보살은 어디를 다쳤는지 바닥을 구르며 자지러지는 비명을 질렀지만 사내는 콧방귀를 뀌며 말했다.

"죄가 있는지 없는지는 경찰서에 가보면 알 거 아냐! 건방지게 늙은것이 나서기는 왜 나서! 쳇! 가잣! 빨리!"

4
야경꾼의 딱딱이 소리

다음날 아침, 서대문 형무소에 수감되어 있던 용성스님은 느닷없이 호출되어 취조실로 끌려가게 되었다. 취조실에는 예의 그 간수가 버티고 앉아 있었다.

평상시 자신을 주시하는 간수의 태도를 눈여겨본 바 있던 용성스님은 그가 예사 간수는 아닐 것이라고 짐작을 하고 있었던 터였다.

그러나 막상 그 간수가 취조실에 버티고 있자 가슴이 덜컹 내려앉지 않을 수 없었다. 간수는 눈을 가늘게 뜨고 용성스님을 바라보며 한쪽 입귀를 비틀며 기분나쁜 미소를 지어보였다. 마치 그런 스님의 속마음을 다 짐작하고 있다는 투였다.

간수는 곤봉으로 자기 손바닥을 탁탁 치면서 느릿느릿 입을 열었다.

"순순히 자백을 하는 것이 여러 가지로 좋을 것이다. 왜 여기 불려왔는지 알겠는가?"

"모르겠다."

"모르겠다고? 그럼 순순히 자백을 하지 않겠단 말인가?"

"재판도 이미 끝났거늘 이제 와서 무엇을 또 자백하란 말이냐?"

"흥! 재판이 끝났다?"

"그렇지 아니한가? 나는 이미 경찰과 검찰에서 수없이 많은 심문을 받았던 몸이다. 내가 해온 일은 이미 다 밝혀져서 형까지 확정되어 수감되어 있거늘 새삼 자백할 것이 또 무엇이 남아 있겠는가?"

"새로운 범죄 사실이 발각되면 죄목이 추가될 것이요 그렇게 되면 재판도 얼마든지 더 받아야 한다는 걸 모른단 말인가?"

"날아다니는 새도 마음대로 떨어뜨리는 일본이고 보면·나 같은 조선 백성이야 열 번이든 백 번이든 재판을 받게 할 수 있을 것이다. 허나……."

"허나 무엇인가?"

"도대체 감옥 안에 갇혀 있는 사람이 감옥 안에서 무슨 죄를 또 지었다는 것인가?"

간수는 의기양양한 미소를 지으며 책상 서랍 속에서 꼬깃꼬깃한 종잇조각을 하나 꺼내 용성스님에게 슬쩍 내보였다.

"그것이 무엇인가?"

"바로 이것이 증거다."

"증거?"

증거라는 말에 용성스님은 부쩍 의구심이 솟았다. 다른 어떤 증거물이 이제사 나올 리는 없었지만 왜경들이 또 자신을 옭아매기 위해 무슨 일을 꾸미는가 싶었던 것이다. 스님은 고개를 숙여 종잇조각에 씌어진 글귀를 읽으려고 했으나 그것은 여러 겹으로 접혀 있었다.

간수는 거만한 태도로 종잇조각을 책상 한구석에 밀어놓으며 말했다.

"어제 면회왔던 그대의 시자도 지금 엄중한 문초를 받고 있으니 곧 자백하게 될 것이다."

"무엇이라고? 동헌이가 지금 문초를 받고 있다고?"

"흐흐흐! 어떤가? 그래도 순순히 자백하지 못하겠는가?"

"그대들은 또 큰 잘못을 짓고 있다. 그 아이는 불문에 들어온 지도 얼마 되지도 않았을 뿐더러 아무것도 모르는 아이거늘……."

간수는 곤봉으로 책상을 내리치더니 짜증스런 목소리로 말했다.

"좋다! 그렇다면 이 증거물을 보여주겠다. 그대의 시자가 가지고 있던 암호문이다. 자 봐라!"

간수는 책상 위에 있던 종이를 펼쳐 용성의 눈앞에 들이밀었다. 그가 들이미는 종이를 들여다보던 용성스님은 너무 어이가 없어서 웃음밖에 나오지 않았다.

"허허허허······ 이것이 그대 눈에는 독립운동 비밀조직의 암호 문으로 보였단 말이냐?"

"확실한 증거가 아닌가?"

"그대는 대체 무슨 교를 신봉하는가?"

"무슨 교?"

"그렇다."

"나는 첫째로 가미사마 일본국조신을 믿고 둘째로 부처님을 믿 는다."

"그래 부처님을 믿는다는 사람이 옴마니반메훔과 신묘장구대다 라니를 암호문으로 알았단 말이냐?"

"면회왔을 때부터 나는 금방 알아차렸다."

일순 용성스님의 호랑이 같은 눈썹이 꿈틀거리더니 곧이어 벽력 과도 같은 호통이 터져나왔다.

"너 이놈! 무식해도 분수가 있어야 하거늘 업장소멸을 위해 모 든 불교 신도들이 외우는 염불문을 어찌 암호문이라 하여 무고한 백성을 괴롭히는가?"

"무엇이라고? 염불문?"

이건 정말 어처구니없는 일이었다. 어떻게 불교의 염불문을 암호문으로 생각하는 수가 있더란 말인가. 게다가 아무것도 모르는 시자아이에게까지 혹독한 심문을 하다니! 무지몽매한 저 고등계 형사의 한심한 수작에 죄없이 당하고만 있을 제자를 생각하니 용성스님의 마음은 찢어지는 듯했다.

1921년 3월 어느 날 밤이었다.

용성스님은 1년 6개월의 형기를 다 마치고 드디어 서대문 형무소에서 나오게 되었다. 3월이라고는 하지만 뺨을 스쳐가는 바람은 살을 에일 듯이 차갑고 매웠다. 밤이 깊어갈수록 바람은 더욱 거세게 불었다.

서대문 형무소 앞에는 발을 동동 구르며 용성스님이 나오기만을 기다리는 두 사람의 그림자가 있었으니 바로 신보살과 스님의 시자 동헌이었다.

두 사람은 초저녁부터 형무소 앞을 서성거리고 있었다. 고개가 빠져라 형무소 문이 열리기만을 기다리던 동헌은 옷깃을 여미며 말했다.

"으이구 추워! 양력 3월이면 풀릴 때도 됐는데 왜 이렇게 춥지요?"

"아, 그러게 말이에요! 밤이 깊어지니 더 추운 것 같네요."

“그러나 저러나 망할 자식들! 왜 여태 우리 스님을 안 내보내주
지?”

“한시라도 일찍 좀 내보내주면 좀 좋으련만! 아예 오늘밤까지
다 채우고 내보내줄 모양이죠, 뭐.”

바로 그때였다.

드디어 형무소의 육중한 철문이 둔중한 소리를 내며 열리기 시
작했다. 문이 열리자 형기를 마친 사람들이 한 사람씩 한 사람씩
형무소를 빠져나왔다.

동헌과 신보살은 나오는 사람들의 얼굴을 일일이 확인하기 시작
했다. 용성스님은 대열의 맨 마지막에서 천천히 걸어나오고 있었
다. 스님을 먼저 본 신보살이 펄쩍 뛰며 동헌에게 소리쳤다.

“나오십니다! 우리 스님 저기 나오셔요!”

“어디? 어디요?”

신보살이 가리키는 곳을 바라보던 동헌은 환호성을 지르며 스님
께 내달려갔다.

“정말! 스님이 나오시네. 스니임, 스니임!”

그 뒤를 신보살이 쫓아갔다.

“아이구 스님! 아이구 우리 스님!”

“허허! 거 날씨도 좋질 아니한데 무엇하러들 예까지 나오셨는
고?”

미소를 지으며 천천히 걸어오는 용성스님의 모습은 어디 하룻밤 외출에서 돌아오기라도 하는 사람처럼 태연하기 그지없었다. 자세히 보니 스님이 입고 계시는 승복도 끌려들어갈 때 입었던 바로 그 옷이었다.

　가슴이 뭉클해진 동헌은 그 자리에서 넙죽 큰절을 올리며 눈물지었다.

　"스님! 인사올리겠습니다, 스님!"

　신보살 역시 차가운 맨바닥에 엎드려 스님께 인사를 올렸다.

　"절 받으십시오, 스님!"

　"허허…… 이러시는 게 아니니 어서들 일어나시게."

　스님께 큰절을 올린 신보살은 미리 챙겨가지고 온 두부를 동헌에게 건네주었다. 동헌은 용성스님께 공손히 두부를 내밀며 말했다.

　"저, 스님! 감옥에서 나오는 사람은 꼭 두부를 잡수셔야 한다고 들었습니다."

　그러나 용성스님은 손을 내젓는 것이었다.

　"일없으니 거두어 들이시게."

　"아유! 저 그러시다가 그 지긋지긋한 감옥살이를 또 하시게 되면 어쩌시려구요, 스님?"

　신보살의 말에 용성스님은 호탕하게 껄껄 웃으며 말했다.

"허허허. 지긋지긋하기는요? 잘먹고 잘자고 이런 공부 저런 공부, 게다가 참선공부까지 잘했으니 또 들어가게 되면 또 들어가야지요. 허허허……."

"아니 스님! 그럼 독립운동 또 하시게요?"

동헌이 투정부리듯 큰소리로 얘기하자 신보살이 기겁을 하며 말했다.

"쉿! 아 누가 들으면 어쩔려고 그러세요?"

"허허허. 설마 한들 형무소에서 지금 막 나온 사람을 도로 잡아넣기야 하겠습니까. 허허허……. 자 그럼 얘기는 절에 가서 나누기로 합시다."

너털웃음을 웃던 용성스님이 문득 길을 재촉하자 신보살이 당황한 기색으로 말했다.

"제가 가서 인력거를 불러오겠습니다, 스님."

"허허, 그러실 것 없습니다. 아, 여기 서대문에서 돈화문 앞이야 엎드리면 코닿을 지척인데 슬슬 걸어가도록 하십시다. 자."

앞장서 걸어가는 용성스님의 뒤에서 동헌의 조심스런 목소리가 들렸다.

"하, 하온데 스님?"

"으음? 왜 그러시는고?"

"저……."

그러나 동헌은 좀체 입을 열지 못했다. 걸음을 멈춘 용성스님이 신보살을 바라보았다. 신보살은 한참을 쭈뼛거리다가 어렵사리 말을 꺼냈다.

　"저 스님께선 아직 모르고 계신 일이 한 가지 있사온데요."

　"내가 모르는 일이라니요?"

　동헌이 울음섞인 목소리로 말했다.

　"그동안 차마 말씀을 드리지 못했습니다만⋯⋯ 스님!"

　"대체 무슨 일로 이러는고?"

　용성스님은 답답한 눈빛으로 두 사람을 번갈아 바라보았다. 도대체 두 사람이 왜 이러는지 갈피를 잡을래야 잡을 수가 없었다. 뒤돌아 서서 옷고름으로 눈자위를 찍어누르던 신보살이 중얼거렸다.

　"아 글쎄 세상에 원 몹쓸 사람들이지."

　마침내 동헌이 굳은 표정으로 용성스님에게 여쭈었다.

　"대각사가 없어졌습니다, 스님!"

　"무엇이? 대각사가 없어지다니?"

　대각사가 없어지다니 이게 무슨 말인가. 아연실색한 용성스님은 동헌에게 다급히 물었다.

　"대각사가 없어지다니 그게 무슨 말인가! 아니 그럼, 대각사가 불에라도 타버렸다는 말이던가?"

"아, 아니옵니다. 불에 탄 게 아니라……."

신보살이 대신 나서며 설명했다.

"세상에 글쎄! 스님께서 감옥생활 하시는 동안에 밑에 있던 몹쓸 사람들이 절을 팔아먹고 도망쳐버렸지 뭐겠습니까, 스님?"

"절을 팔아먹고 도망쳤어? 내 제자들이?"

"스, 스님!"

"……!"

참으로 서글픈 노릇이었다. 스승은 독립운동을 하다가 붙잡혀 감옥살이를 하고 있는데, 제자는 스승이 지어놓은 절을 팔아먹고 자취를 감추었다니! 용성스님의 심정은 비할 데 없이 비참하고 허망하였다.

"흐음……."

스님은 별조차 보이지 않는 어두운 하늘을 올려다보며 쓰라린 마음을 달래었다.

동헌은 스승의 가슴아파하는 모습을 보기가 정녕 고통스러웠다. 감옥에서 고생하고 있는 스승님이 행여 놀라실까 걱정되어 그동안 면회가는 신도들에게 단단히 입단속을 해왔었다.

오늘 아침까지만 해도 스님이 출소한다는 생각에 한껏 마음이 들떠있었지만 시간이 갈수록 여러 가지 현실적인 문제로 동헌의 마음은 점점 무거워지기만 했었다. 지금은 스님께서 당장 거처할 곳도 마땅히 없는 형편이니 이 노릇을 어찌해야 하는가. 이 모든 게 다 자신의 어리석음 때문에 빚어진 일로 생각되기까지 했다.

동헌은 용성스님께 머리를 조아리며 서글픈 목소리로 말했다.

"스님! 스님께서 나오셨는데 당장 편히 누우실 방 한 칸도 없게 됐으니 이 일을 어찌하면 좋습니까?"

용성스님은 죄인처럼 고개를 숙이고 서있는 시자 동헌의 어깨를 어루만지며 부드럽게 말했다.

"걱정할 것 없으시네. 절이야 또 지으면 되는 것이니까. 그보다도 그동안 자네가 고생 많으셨겠네."

"아, 아니옵니다! 여기 이 보살님이 보살펴주셔서……."

동헌은 스승의 따뜻한 위로에 귀밑까지 새빨개졌다.

용성스님은 그윽한 눈빛으로 동헌을 바라보았다. 다른 제자들은 다들 저만 살겠다고 절 재산 다 팔아먹고 도망갔는데 그중 제일 어린 동헌만은 2년이란 세월을 스승 옥바라지를 하며 보냈던 것이다.

용성스님은 이제 하나뿐인 제자 동헌을 보살펴 준 신보살에게 깊이 고개를 숙였다.

"감사합니다, 보살님! 고생이 많으셨겠습니다."

"아이구 아녜요, 스님! 고생이야 스님이 하셨지요. 밖에 있는 우리야 그게 무슨 고생인가요. 자, 이제 그만 가시지요, 스님. 우선 저희집으로 뫼시겠습니다."

　세 사람은 나란히 가회동 신보살의 집을 향해 걸음을 옮겼다. 멀리 야경꾼의 딱딱이 소리가 지나가고 있었다.

　형무소에서 나온 첫날밤을 신도집에서 묵게 된 용성스님은 시봉과 함께 누웠으나 좀체로 잠을 청할 수가 없었다. 배신한 제자들에 대한 생각, 앞으로 시봉을 데리고 살아갈 걱정, 날로 더해가는 일제의 수탈정책, 왜색불교에 물들어가고 있는 불교계…… 자신을 둘러싼 모든 상황이 사면초가였다.

　골목을 도는 야경꾼의 딱딱이 소리가 가까이 다가오다가 다시 점점 멀어져갔다. 용성스님은 한숨을 쉬며 중얼거렸다.

　"후우! 나라는 통째로 도둑질을 당했는데 저 야경꾼의 딱딱이 소리는 무엇을 지키자는고!"

　역시 잠을 못 이루고 뒤척이던 동헌이 그 소리를 듣고 입을 열었다.

　"아니 스님! 여태 주무시지 않으셨습니까?"

　"갑자기 너무 따뜻하고 편한 방에 누우니 잠이 오지 않는구먼."

　"그럼 스님! 불을 켜드릴까요?"

　"아닐세. 그만 주무시게나."

　"저두 영 잠이 오질 아니합니다, 스님."

　"관세음보살님을 염하시게. 그럼 곧 잠이 올걸세."

　동헌은 스승의 말대로 관세음보살을 염하다가 문득 떠오르는 상넘을 이기지 못하고 또다시 용성스님을 불렀다.

"스님."

"……."

"스니임!"

"왜 그러시는가."

"대체 누구누구가 절을 팔아먹고 도망쳤는지 왜 그것도 묻지 않으십니까, 스님?"

"인연없는 중생이거늘 알아서 어디에 쓰겠는가?"

"밉지도 않으십니까, 그 자들이?"

"허허, 자네가 분심이 탱천해 있군 그래."

"스님은 그럼 분하지도 않으십니까?"

"불의 종자를 이미 끊었거늘, 어디서 또 불이 일어나겠는가."

"아니 스님! 그럼 스님은 그 절이 아깝지도 않으십니까?"

"원래 없던 것이니 아까울 거야 없네만 감옥 안에서 계획했던 일이 지체될까 그것이 걱정이네."

"무슨 계획이신데요, 스님?"

"조선을 보존하는 일. 그리고 부처님 세상을 만드는 일!"

조선을 보존하는 일, 그리고 부처님 세상을 만드는 일.

듣기만 해도 가슴이 벅찬 말이었다. 그러나 그게 도대체 가능한 일일까. 동헌은 조심스럽게 자신의 의구심을 열어 보였다.

"그런 일이 될 수 있을까요, 스님?"

"자네가 시봉만 잘하면 틀림없이 잘될 것이네. 도와주시겠는가?"

'내가 시봉만 잘하면…… 아! 우리 스님께서 나를 믿고 계시다!'

동헌의 가슴은 기쁨으로 환하게 타올랐다. 늘 우러러보고 존경하기만 했던 스승께서 조선을 보존하고, 부처님 세상을 만드는 일에 나를 쓰신다지 않은가. 동헌은 두근거리는 마음을 달래며 떨리는 목소리로 말했다.

"예, 스님. 전 절대로 스님 곁을 떠나지 않겠습니다, 스님!"

5
부처님 경전이 한문감옥에 갇혀 있다

　용성스님이 지금의 서울인 경성에 올라온 것은 세속 나이 마흔
여덟이던 1911년의 일이었다. 용성스님은 맨 먼저 그 옛날 백제 시
대의 인도 승려 마라난타가 첫 포교를 하기 시작했다는 불교의 성
지 우면산 대성사 자리에 초당을 지었다.

　인도승려 마라난타는 중국 동진을 거쳐 전라도 법성포에 상륙하
였다고 한다. 법성포에서 북으로 북으로 계속 올라오던 마라난타는
한때 풍토병에 걸려 고생을 하기도 했으나, 갖은 우여곡절 끝에 결
국 현재의 서울 서초구 우면산에 이르게 되었다.

　이 우면산이 역사적인 불교의 성지로 전해지게 된 이유는 풍토
병에 걸린 마라난타가 바로 이 산에서 솟아나는 생수를 마시고 소
생하였기 때문이라고 한다.

　　바로 그 우면산 대성사 자리에 초당을 지은 용성스님은 환성당 지안대사의 영정을 모셨다.

　　용성스님이 법맥을 이었다는 이 지안대사는 조선왕조 19대 숙종 때의 큰스님으로 조선 중기의 고승 서산대사의 수제자 편양당 언기 대사의 법맥을 이은 분이다.

　　서산대사는 왜군과 싸워 이긴 승병장으로서 뿐만 아니라 일세를 풍미하는 선객으로서도 한국 불교사에 큰 족적을 남긴 인물이었다. 자연히 그의 문하에는 걸출한 사상가들이 많이 배출되어 흔히 서산 문하의 사대파(四大派)라고 하는데 그중에서도 편양당 언기대사 가 가장 빼어났다고 전해진다.

　　좋은 새는 나무를 가려 앉는다는 말이 있는 것처럼 언기대사의 제자들 가운데 지안, 도안, 유일로 이어지는 기라성 같은 법맥이 꿈틀거리고 있다.

　　특히 이 환성당 지안대사에 얽힌 일화는 매우 많다.

　　15세에 출가득도한 지안대사는 경전을 힘써 연구하여 일찍이 도를 깨달았다. 27세에 모운대사가 직지사에서 법회를 열었다는 소식을 듣고 찾아갔는데 뜻밖에 모운대사는 수백 명의 학인을 지안대사에게 맡기고 다른 곳으로 가버렸다.

　　홀로 남은 지안대사가 대중을 거느리고 종풍을 떨치며 설법을 하였는데 그 이치가 오묘하여 소문을 들은 학인들이 구름처럼 모여

들었다.

　그러나 지안대사의 강연을 들은 일부 학인들 중에는 스님의 강연 내용이 일찍이 들어본 적이 없는 것이었으므로 의구심을 품는 자들이 없지 않았다. 그런데 그 뒤에 수많은 경전을 실은 빈 배가 우리나라 해안으로 흘러들어오는 기이한 일이 벌어졌다.

　이를 신기하게 여긴 사람들이 그 경전들을 낙안 징광사에 옮긴 뒤 낱낱이 읽어보니 거기 적혀있던 주해가 지안대사의 강연 내용과 똑같아 모두 탄복하였다고 한다.

　또 강연을 마친 지안대사가 명산대찰을 다니다가 지리산의 한 절에 머무른 적이 있었다. 어느 날 밤 꿈에 한 도인이 나타나서 말했다.

　"얼마 뒤에 큰 재앙이 있으리니 스님은 빨리 다른 데로 가시오."

　깜짝 놀란 지안대사가 눈을 떠보니 도인은 온데 간데 없었다. 대사는 이상하게 생각하면서도 다른 곳으로 피했는데 수일 후에 그 절이 불타버렸다고 한다.

　또 한번은 이런 일도 있었다.

　금강산 정양사에 머물고 있던 지안대사가 어느 날 행장을 꾸려 절을 떠났다. 절을 나선 스님이 얼마 걸어가지도 않았는데 갑자기 큰 비가 쏟아지기 시작했다.

　사방을 둘러보며 비를 피할 곳을 찾던 지안대사는 어느 부잣집

에서 자고가라고 부르는 것도 듣지 않고 그 옆의 가난한 오막살이
에 들어가 비를 그으며 그날밤을 보냈다. 그런데 다음날 아침에 일
어나보니 놀랍게도 밤사이 내린 비로 정양사와 그 부잣집이 물에
잠겨 있는 것이었다.

　이렇듯 가는 데마다 온갖 신비스러운 일화를 남기며 종풍을 드
날리던 지안대사가 1725년 금산사에서 화엄 대법회를 베푸니 거기
에 모인 학인의 수가 무려 1천4백명에 이르렀다.

　그러나 지안대사가 학인들의 존경을 한몸에 받는 것을 시기한
어떤 이가 금산사 법회는 지안대사가 모종의 음모를 꾸며 이루어
진 것이라는 터무니없는 모함을 하여 끝내 지리산에서 체포되고
말았다.

　지안대사는 이후 호남의 감옥에 갇혀 있다가 제주도로 귀양을
간 뒤 7일만에 순교하였다고 한다. 대사의 나이 66세, 법랍 50세
때의 일이었다.

　용성스님이 바로 이 지안대사의 영정을 모신 것은 그 자신이 조
선 전래의 임제종의 법맥을 이었음을 확실히 한 것이었다.

　또한 용성스님은 지금의 서울 서초구 우면산에서 집성촌을 이루
고 살던 왕씨들의 도움을 받아 불법 포교의 기틀을 잡았으며 그해
4월, 용성스님은 지금의 종로 봉익동 1번지에　대각사라는 절을 세
우게 되었다.

그런데 그 어렵게 세운 대각사를 용성스님이 서대문 형무소에서 감옥살이를 하는 사이에 그 제자들이 팔아먹어 버리고 사라진 것이었다.

스님을 각별히 따랐던 신도들은 스님이 출옥하자마자 절을 팔아먹고 스승을 배신한 제자들에 대한 처리방법을 논의하였다.

물론 울분에 찬 대다수 신도들의 견해는 달아난 제자들을 찾아 잡아넣자는 것이었다. 신도들의 중론이 그렇게 모아지자 신도들의 대표격인 강거사가 용성스님을 찾아왔다.

강거사는 이런 저런 이야기 끝에 슬그머니 달아난 제자들 이야기를 꺼내었다. 소행이 괘씸해서라도 기어코 잡아넣어야 되지 않겠느냐는 것이 그 이야기의 요지였다.

그런데 순순히 그 제의에 응하리라 생각했던 용성스님은 의외로 고개를 흔드는 것이었다. 강거사는 답답하다는 표정으로 담뱃재를 재털이에 탁탁 두들겨 털더니 용성스님 앞으로 바짝 다가앉았다.

"아니 그래 스님! 절을 팔아먹고 달아난 그런 자들을 잡아넣지 않겠다 그런 말씀이십니까?"

"면목이 없습니다, 거사님. 그 아이들이 조선 천지 어느 구석에 숨어 사는지도 알 수 없거니와 행여 찾아낸다 하더라도 그 돈을 아직까지 제대로 간수하고 있을 리도 없는 일 아니겠습니까?"

"원, 세상에! 아, 그래두 그렇지요! 스님께서 그 절을 어떻게 세우신 건데. 그런 자들은 그냥 단박에 잡아 혼쭐을 내주어야 합니다. 그러니 다른 생각 마시고······."

"거사님, 정말 죄송스럽게 되었습니다. 거사님과 다른 신도님들의 큰 은혜가 없었더라면 그 절을 세우지도 못했을 터인데. 일이 이렇게 되고 보니 정말 면목이 없습니다. 죄송합니다."

"세상에 원! 절을 다 팔아먹고 달아나다니! 그 자들의 소행이 하도 괘씸해서 하는 소립니다."

"본래 금(金)일지라도 여러 번 용광로에 단련하지 아니하면 순금이 되지 못하는 법! 그 아이들을 온전한 사람으로 만들어 보내지 못한 것이 안타까울 따름입니다. 거사님! 다 제 불찰입니다. 부디 저를 꾸짖어 주시고 노여움을 풀어주십시오."

용성스님은 강거사에게 거듭 고개를 숙여 사죄하는 것이었다.

"그러면 대체 대사님께서는 앞으로 어찌 하시겠다는 겁니까? 이젠 그야말로 집도 절도 없는 형편이니 말입니다."

강거사 말마따나 정녕 집도 절도 없는 처지란 게 이를 두고 하는 말인 것 같았다. 용성스님은 껄껄 웃으며 강거사에게 말했다.

"허허허······ 중이 언제 제 집, 제 절이 따로 있었습니까? 거사님께서 허락만 해주신다면 감옥에서 긴히 계획한 일이 있는지라 그 일을 곧바로 시작할까 합니다."

"그래 대사께서 계획하신 일이란 대체 어떤 일이옵니까?"

"한문으로 되어 있는 부처님 경전을 조선글로 옮겨 백성들에게 널리 읽히고자 하는 것입니다."

"아니, 한문 불교경전을 조선글로 옮기겠단 말씀이시오?"

"그렇습니다."

"그러자면 세월도 많이 걸릴 것이요, 비용도 수월찮게 소용될 터인데 절도 없이 되겠습니까, 그렇게 큰 일이?"

"그야 각오를 단단히 하고 나왔습니다. 비용은 불자님들 가가호호를 방문하여 법회를 열어서라도 시주를 얻도록 하겠습니다."

"흐음…… 그러면 나는 대사님을 어떻게 도와드리면 되겠습니까?"

"말씀드리기 죄송하오나……."

용성스님이 어렵사리 이야기를 꺼내는 것을 본 강거사의 머릿속에 문득 어떤 생각이 떠올랐다.

"누추하고 협소하기는 합니다마는 절을 다시 마련하실 때까지 우리집 사랑채를 다 쓰시고 거기서 법회도 보시고 계획하신 일을 도모하심이 어떠시겠습니까?"

절을 다시 마련할 때까지 자기집 사랑채를 쓰라는 강거사의 배려에 용성스님은 몸둘 바를 모르고 머리를 조아렸다.

"거사님! 너무 큰 은혜를 내려주시니 소승 몸둘 바를 모르겠습니다."

　이렇게 해서 용성스님은 그날부터 가회동 강거사의 집에 머물게
되었다.
　오늘날에는 가회동하면 고급주택가가 늘어선 부자동네로 알려져
있지만 예전에는 이 가회동을 맹현(孟峴), 맹감사현(孟監司峴)이
라고도 하여 강직하고 청렴한 선비들이 모여사는 동네로 알려져 있
었다.
　맹현이나 맹감사현이라 부르게 된 것은 바로 세종 때의 명신 맹
사성이 이곳에 살았기 때문이다. 맹사성은 세종 9년에 우의정이 되
었고 곧 실력을 인정받아 좌의정으로 올랐다.
　어느 날 병조판서가 공적인 일로 맹정승의 집을 급히 찾아가는
데 가회동 언덕배기를 다 올라가도 정승이 살 만한 솟을대문집은
영 보이지 않는 것이었다. 같이 온 하인에게 길을 잘못든 것이 아
닌가고 물어보기도 하였으나 가회동이 맞다는 대답이었다.
　그때 갑자기 먹구름이 다가오더니 소나기가 세차게 퍼붓기 시작
했다. 병판은 비를 피하기 위해 길가에 있는 오두막집으로 들어갔
다. 헌데 바로 그집이 맹정승의 집이었다. 아니나 다를까 그 오두
막 같은 집에서는 평소 맹정승이 즐겨 불던 피릿소리가 들려오는
것이었다.
　"정승이 이런 데서 살고 계신데 판서들이 작은사랑, 큰사랑 줄줄
이 지어놓고 거드럭거리다니 참으로 부끄러운 일이로구나!"

그래도 생각이 있는 사람이었는지 병조판서는 이렇게 스스로를 반성했다고 한다.

　가회동 강거사 역시 몰락한 양반의 후예로 큰부자는 아니었다. 다만 선친이 남겨주신 약간의 땅이 있어 그런 대로 살고 있는 형편이었는데 제자들의 배신으로 어려운 지경에 빠진 용성스님을 위해 선뜻 사랑채를 내어주니 실로 가상한 일이었다.

　스님은 강거사의 후의를 입어 가회동 강거사의 사랑채에 머물면서 곧바로 불교경전을 조선글로 옮기는 일에 착수했다.

　역경사업은 용성스님이 옥중에서 얻은 많은 경험과 고민을 통해 얻은 결실 중의 하나였다. 독립선언 대표의 일인으로 경성 서대문 감옥에서 철창생활의 신산한 맛을 체험하게 되었을 때 그는 실로 여지껏 접해보지 못했던 많은 색다른 경험을 했다.

　용성스님은 서대문 형무소에서 동일한 국사범으로 들어온 사람 중에 갖가지 종교의 신자들을 매우 많이 만났다. 그들은 각각 자기들이 신앙하는 종교서적을 청구하여 공부하고 기도하기에 여념이 없었다. 언젠가 우연찮은 기회에 용성스님은 기독교인이 보고 있는 성경책을 열람할 수가 있었다.

　그런데 그 책들은 모두 조선글로 번역된 것이었고 한문으로 된 서적은 거의 눈에 띄지 않았다. 일반신도들이나 비종교인들이 쉽사리 그 책들을 구해 부담없이 읽는 것을 보면서 스님은 적잖은 충격을 받았다. 불교의 현실과 비교해 볼 때 너무나 부럽기 그지없는 일이었다.

용성스님은 옥중에서 타종교와 불교를 비교해 보고 불교의 나아갈 길과 우리 민족의 나아갈 길을 곰곰히 생각한 끝에 마침내 출옥 후 해야 할 몇 가지 일을 계획하게 되었던 것이다.

스님은 출옥한 직후인 1921년 4월, 우선 한문으로 된 불교경전을 조선글로 옮기는 대역사를 시작하기 위해 삼장역회를 조직하였다.

사실 경전의 우리말 번역은 생각처럼 용이한 것이 아니었다. 해박한 원전독해 능력이 있어야 하고, 또 반석과도 같은 굳은 신심에 막대한 자금과 인력의 뒷받침이 있어야 했다. 그러나 다른 스님들은 물론이요 제자들이나 신도들의 불경번역에 대한 이해 정도는 매우 척박한 것이었다.

스님의 시자 동헌은 밤이나 낮이나 경전 번역에 매달리는 용성스님의 시중을 착실하게 들면서도 그 역경사업의 근본취지를 이해하지는 못했다. 다만 큰스님 하시는 일이니 정성을 다해나갈 뿐이었다.

그러나 동헌으로서는 이미 한문 경전이 나와 있는 마당에 구태여 조선글로 옮길 필요가 있는 것일까 하는 의문이 들었다. 게다가 감옥에서 나온 지 얼마 되지 않은 상태라 큰스님의 건강이 상할까

두렵기도 했다.

그러던 어느 날 동헌은 큰마음을 먹고, 번역에 몰두하고 있던 용성스님께 조심스럽게 여쭈었다.

"스님! 스님께서는 정말 이 많은 한문 경전을 모두 우리 조선글로 옮기시겠습니까?"

"내 감옥에서 느낀 바 있어 출옥하기만 하면 무엇보다도 먼저 이일부터 시작하기로 서원을 했으니 그대 또한 전심전력, 나를 도와야 하실 것이네."

"조선글로 옮겨도 괜찮은 것이옵니까, 스님?"

"옛날 세종임금 세조임금 때는 간경도감까지 두시어 능엄경, 법화경을 조선글로 옮기게 하셨고, 용비어천가, 월인천강지곡을 지어서 백성들로 하여금 쉬이 읽고 배우게 하셨지. 그후로 배불정책이 득세하여 길이 막히고 말았으니 이제라도 우리가 막힌 길을 열어야 하지 않겠는가?"

"하오면 스님! 조선글은 언문이라 하여 지체높은 사람들이 업신여기던데 부처님 경전을 언문으로 옮겨놓으면 공연히 부처님 경전까지 업신여김을 받게 되는 건 아니겠습니까?"

"본디 한문은 중국의 문자요 조선글은 우리의 문자거든, 중국의 문자를 진서라 하고 우리 조선글을 언문이라 하여 업신여김은 돼먹지 아니한 사대주의의 발로이니 그대는 행여라도 흔들림이 있어서는 아니 될 것이네.”

“아, 알겠습니다, 스님.”

“내 그동안 감옥에 갇혀 있으며 생각하니 우리 조선사람들이 감옥에 갇혀 있는 것이나 우리 부처님 경전이 한문의 감옥에 갇혀 있는 것이나 어쩌면 그리 똑같으냐, 그런 생각이 들었네!”

부처님 경전이 한문의 감옥에 갇혀 있다는 용성스님의 말은 동헌에게 선뜻 이해가 되지 않았다. 동헌은 눈을 둥그렇게 뜨고 스님께 여쭈었다.

“부처님 경전이 한문의 감옥에 갇혀 있다구요?”

“중국사람들이 중국글을 좋아하고 일본사람들이 일본글을 좋아하듯 우리 조선사람들에게는 조선글이 가장 적당한 걸세. 아, 조선글이야 남녀노소 누가 보더라도 보는 즉시 아는 것이니 얼마나 편리한가? 보지만 않고 쌓아만 두는 경전은 더 이상 경전이 아니야. 그렇지 아니한가?”

“예, 스님.”

“경전이 아무리 산더미와 같이 많더라도 보지 못할 때는 한갓 종이요 먹물에 불과한 것이란 말이네. 그러니 우리는 이제라도 부처님 경전이 한문의 감옥에서 풀려나 만백성과 함께 살아 숨쉬도록 반드시 조선글로 옮겨야 할 것이네. 내 말 아시겠는가?”

“예, 스님. 잘 알겠습니다.”

용성스님은 자애로운 미소를 지으며 이제야 이해를 했다는 듯이 고개를 끄덕이는 제자 동헌을 굽어보고 있었다.

6
나라를 도둑질한 자들

어느 날 저녁에 용성스님이 잠시 의탁하고 있던 가회동 불교신도의 집으로 최상궁이 찾아왔다. 바로 고종임금의 두번째 왕비 순정효황후, 윤비마마를 모시고 있던 바로 그 최상궁이었다. 여기서 우리는 여태껏 세상에 알려지지 않은 역사적인 비화를 만나게 된다.

용성스님은 처음 경성에 올라와 지금의 서초동 우면산에 초당을 지었고, 당시 집성촌을 이루고 살던 왕씨 일가의 도움을 받아 불법을 널리 전하기 시작했다.

그때 용성스님은 왕씨 일가의 소개로 과거에 큰 벼슬을 지낸 바 있는 가회동 강거사에게 계를 내렸고, 또 이 강거사의 부인을 통해 최상궁, 임상궁 그리고 윤비마마에게까지 법명을 내리는 인연을 맺게 되었던 것이다.

"용성대사님께 최상궁 문안드리러 왔습니다."

"누구? 최상궁이라고 그러셨는가?"

"그러하옵니다, 대사님! 별궁의 최상궁이옵니다."

"이것이 얼마만이신가! 어서 들어오시게!"

"예……"

방에 들어선 최상궁은 용성스님을 보자마자 울먹이며 말했다.

"대사님! 절 받으시옵소서."

"절은 그만두시고 어서 앉으시게나."

용성스님의 만류에도 최상궁은 굳이 스님께 큰절을 올리는 것이었다.

"허허…… 그만 두시래두."

"대사님! 옥살이 하시느라고 얼마나 고생이 많으셨습니까?"

"고생은 무슨 고생! 우리 2천만 조선 백성이 다 겪는 고생인데. 그래 윤비마마께옵서도 안녕하신가?"

"예. 대사님께서 윤비마마께 지어주신 대자화보살이라는 법명, 지금도 늘 고맙게 여기고 계십니다. 그리고 대사님께서 이르신 육자진언 옴마니반메훔도 늘 염송하십니다."

"으흠. 그리고 임상궁도 여전하신가?"

"예. 대사님께서 감옥에 갇히셨다는 소식을 전해 듣고 얼마나 걱정을 하셨는지 모릅니다. 왜놈들의 감시가 갈수록 극심해서 안부

한번 여쭐 수 없었음을 사죄드리라 이르셨습니다."

"사죄라니, 그 무슨 당치 않은 말씀이신가? 그래 내가 여기 있다는 것을 어떻게 아시고 오셨는가?"

"그젯밤 원서동 최보살이 은밀히 별궁으로 소식을 전해주었습니다. 마음 같아서는 그 길로 달려와 대사님을 뵙고 싶었사오나 왜놈들의 감시가 심해서 겨우 이제야 찾아뵙게 되었습니다, 대사님!"

하던 말을 채 마치지도 못하고 최상궁은 기어코 눈물을 쏟아내기 시작했다.

"허허……선광명보살이 어찌 이러시는가. 진정하시게."

"옥살이 하시느라고 병이나 얻지 아니하셨는지요, 대사님!"

"부처님이 돌봐주셔서 더 젊어졌으니 아무 염려마시게."

"세상에 그래, 그런 못된 자들이 다 있었답니까, 대사님?"

"무슨 말씀이신가?"

"원서동 보살한테 다 들었습니다. 대사님을 모시던 자들이 절을 팔아먹고 달아나버렸다니."

"용서하시게. 최상궁, 임상궁, 더더구나 윤비마마께서도 은밀히 시주를 내리셔서 세운 절이었는데 내가 덕이 모자라 이런 일을 당했으니 부끄러워 얼굴을 제대로 들 수가 없네."

"아니옵니다, 대사님! 옥살이까지 하시고 나오시자마자 이 사실을 아시게 되셨다니 대사님 마음이 얼마나 아프시겠습니까?"

"마음 아플 것까지야 있겠는가마는 내 덕이 모자랐으매 그것이 부끄럽네."

최상궁은 가지고 온 보따리를 용성스님 앞으로 밀어놓으며 말했다.

"대사님! 이거 받으시옵소서."

용성스님은 의아한 얼굴로 최상궁에게 물었다.

"아니 이게 대체 무엇인가?"

"임상궁께서 보내주신 것이오니 절을 새로 세우시는 데 보태시옵소서."

최상궁의 말에 스님은 고개를 흔들며 보따리를 도로 최상궁 앞으로 밀어놓고 말했다.

"아닐세. 임상궁에게는 전에도 내가 큰 빚을 졌거늘 어찌 또 빚을 질 수 있단 말인가?"

최상궁은 다시 보따리를 용성스님 앞으로 밀면서 간곡히 말했다.

"아니옵니다, 대사님. 대사님께서 망월사에 계실 때, 임상궁이 갖다드린 그 돈을 대사님이 한푼도 쓰지 않으시고 가야산 해인사에 전해서 부서진 팔만대장경 장식을 다 고치게 하신 것을 저희가 다 소상히 알고 있사옵니다."

"그래도 그것은 내가 진 빚일세."

용성스님이 다시 보따리를 밀어놓으려 하자 최상궁은 두 손으로 황망히 막으며 작은 꾸러미 하나를 더 내놓았다.

　"아, 아니옵니다, 대사님. 좋은 일 하는 데 쓰실 것을 믿기 때문에 드리는 것이오니 부디 사양하지 말고 받아주십시요. 그리고 이것은 새로 지어온 약이오니 근력을 회복하셔서 불쌍한 중생들을 구하여 주시옵소서."

　용성스님은 최상궁이 내미는 약꾸러미를 물끄러미 바라보다가 조용히 입을 열었다.

　"너무 염려마시게. 감옥 안에 있는 동안 부처님 보약을 많이 먹었더니 몸도 마음도 더 젊어졌거니와 용기까지 백배 되었다네."

　"그렇다 하시니 천만다행이옵니다, 대사님. 그럼 오늘은 이만 물러갈까 합니다."

　최상궁이 몸을 일으키자 용성스님은 화급히 손을 들어 말리며 말했다.

　"잠깐! 조심하셔야 하네. 옆방에 시자 있으신가?"

　"예, 스님. 소승 여기 있사옵니다."

　"이리 오시게."

　"예, 스님."

　잠시 후 미닫이문이 조용히 열리더니 시자 동헌이 모습을 나타냈다. 용성은 최상궁에게 동헌을 가리키며 말했다.

"믿을 만한 시자니 얼굴을 익혀두시게."

"예."

용성스님은 동헌에게 낮은 목소리로 일렀다.

"자네는 나가서 이 근방 골목 안에 수상한 자가 없는지 소상히 살펴본 연후에 이 최상궁을 별궁 근처까지 모셔다 드리고 와야 할 것이네."

"예, 알겠습니다. 스님."

용성스님은 비록 서대문 형무소에서 형기를 다 마치고 출옥을 하긴 했으나, 일본 측의 협박과 회유에 협력하지 않았던 탓에 요시찰 인물로 분류되어 늘 감시를 받고 있었다.

용성스님이 당분간 거처하게 된 가회동 강거사의 집 근처에는 항상 고등계 형사들이 서성이며 스님의 동태를 감시하고 있었던 것이다.

바로 이 무렵의 어느 날이었다.

외출에서 돌아온 강거사가 용성스님이 머물고 있는 사랑채를 찾았다.

"에헴! 대사님 안에 계시옵니까?"

"들어오십시오, 거사님."

용성스님은 번역하던 경전들을 덮고 은은한 미소로 강거사를 맞았다. 강거사는 사랑채 주변을 한번 둘러보고서야 방으로 들어왔다. 그는 옆방을 눈짓하며 목소리를 낮추어 용성스님에게 말했다.

"옆방에 누구 없으십니까?"

"예. 시자도 마침 심부름을 내보냈으니 아무도 없습니다만."

강거사는 그제서야 한숨을 내쉬며 말했다.

"대사님께서는 조심하셔야 할 것 같습니다."

"무슨 말씀이신지."

"밖에 나갔다 돌아와보니 수상한 자들이 우리집 골목 안을 기웃 거리고 있질 않겠습니까?"

"수상한 자들이요?"

"종로경찰서 고등계 형사들 같기도 하고 그자들 끄나풀 같기도 하고 여하튼 수상한 자들임이 분명했습니다."

"미행을 당하고 있다는 것은 내 이미 짐작을 하고 있었소이다. 이번에 출옥한 사람들은 다들 미행을 당하고 있다고 들었습니다."

"저런! 고약한 왜놈들 같으니라구! 저 아무튼 대사님, 바깥 출 입을 하실 적에는 각별히 조심하셔야겠습니다."

용성스님은 고개를 끄덕이며 말했다.

"저……걱정을 끼쳐서 죄송합니다, 거사님."

"대사님. 대체 저 왜놈들이 대사님을 감시해서 뭘 어쩌자는 것이 지요?"

"더 이상 독립운동을 계속할 생각을 하지 말아라, 그런 뜻이 아니겠습니까? 옛부터 도둑을 맞은 사람은 발을 뻗고 잠을 자지만, 도둑질을 한 도둑은 웅크리고 잔다고 했으니 남의 나라를 도둑질한 자들이라 지레 겁을 집어먹고 있는 것이지요.”

“하오면 대사님! 대체 조선의 앞날은 어찌 되는 것이옵니까?”

“머지않은 장래에 조선은 반드시 독립하게 될 것입니다. 중국땅 상해에는 이미 임시정부가 수립되었으니까요.”

임시정부가 수립되었다는 스님의 말에 강거사는 몹시 놀랐는지 입이 떡 벌어졌다. 그는 스님 앞에 바짝 다가앉으며 황급히 물었다.

“임시정부라니요? 아니 그런 것을 대체 누가 수립했단 말씀이시옵니까?”

“이시영, 김구, 홍진, 김명준 등 중국땅에 있는 조선의 우국지사들이 임시정부를 수립하고 이미 활동을 시작했습니다.”

“아니 대사님! 바깥 세상에 있던 소생은 깜깜 절벽인데, 그런 소식을 대체 어떻게 감옥 안에서 들으셨습니까?”

용성스님은 놀라움을 감추지 못하는 강거사를 바라보며 빙그레 미소를 지었다. 사실 강거사 같은 이로서는 짐작도 하지 못할 일이었기 때문이었다.

“그야 다 아는 수가 있지요. 연락을 받기도 하고 연락을 보내기도 하고 그런 통로가 없구서야 조선이 어찌 독립을 도모할 수 있겠습니까?"

"아니 대사님. 그럼 대사님께서는……."

강거사는 거기서 말을 멈추고 새삼스레 방문쪽을 쳐다보더니 목소리를 낮추어 스님에게 여쭈었다.

"또 독립운동에 관여하실 생각이시옵니까요?"

"기회만 주어진다면 계속 해야지요."

"그러시다가 또 옥살이를 하게 되시면 어쩌시려구요?"

"출가한 중이 바깥에 있으나 감옥 안에 있으나 무슨 큰 차이가 있겠습니까. 어디에 있던 그저 부처님 일만 열심히 하면 다 마찬가지지요."

"하오나 대사님, 그러시다가 만일 발각이라도 되시면."

"거사님 댁에는 누가 끼치지 않도록 각별히 유념할 터이니 너무 심려하지 마십시오."

"아, 아니옵니다, 대사님. 제 말씀은 그런 뜻이 아니오라……."

용성스님은 강거사의 말이 채 끝을 맺기도 전에 긴한 표정으로 말했다.

"거사님."

"예, 대사님."

"내 긴히 부탁 한 가지 드려야겠소이다."

"예. 말씀하시지요, 대사님."

"거사님께서 머리에 쓰고 계시는 갓을 한 벌 구해주실 수 있으시 겠습니까?"

"갓이요? 아니 갓이라뇨? 그건 어디다 쓰시게요?"

"용도는 묻지 마시고 구해주셨으면 합니다. 기왕이면 큼지막한 걸루요."

"아, 예. 알겠습니다, 대사님."

삭발출가한 승려의 신분으로 난데없이 선비들이나 쓰고 다니는 갓을 구해달라고 하니 강거사는 도무지 영문을 알 수가 없었다. 그 러나 용성스님이 특별히 부탁한 것이니 두말없이 구해다주었다.

용성스님은 강거사가 구해다준 물건을 잠자코 동헌에게 내밀었 다. 그 물건을 본 동헌은 깜짝 놀라서 말했다.

"아니 스님! 이건 망건과 갓이 아니옵니까?"

"요긴하게 쓰일 때가 있을 것이니 벽장 속에 잘 간수해 두시게."

"스님이 이걸 쓰시게요?"

"글쎄 누가 쓰게 되건 요긴하게 쓸 때가 있을 것이네."

"예, 스님. 알겠습니다."

갓과 망건을 받아들고 나가려던 동헌이 문득 돌아서며 스님을 불렀다.

"저 스님!"

"왜 그러시는가."

“감히 제가 드릴 말씀은 아니옵니다만 스님께선 잠시 산속에 들어가셔서 쉬심이 어떠하올런지요?”

“그건 또 무슨 소리신가?”

“스님께서 서대문 형무소에 계실 때 왜놈 형사들이 대각사에 뻔질나게 드나들었습니다.”

“그래서 어떻다는 말씀이신가?”

“그때 그자들이 말하기를 스님께서 감옥을 나오시더라도 더 이상 승려 노릇을 못하게 할 것이라고 그랬었습니다.”

“흐음. 그랬을테지.”

“그 바람에 몇몇 제자들이 절을 팔아 뿔뿔히 흩어지게 된 것이옵니다.”

“그야 나도 짐작하고 있었네. 그러지 않구서야 그 아이들이 절까지 팔아먹고 흩어졌겠는가.”

“하온데 스님께서 이렇게 경성에 머물러 계시니 왜놈들이 또 언제 어느 때 스님께 무슨 짓을 할지 걱정이 돼서 드리는 말씀이옵니다.”

“내 이미 자네한테 말해 두었거니와 나는 결코 이 한양을 떠나지 않을 것이네. 여기서 반드시 해야 할 일이 있다고 말하지 않던가.”

“그러시다가 또 잡혀라도 가시면…….”

그러나 용성스님은 동헌의 말이 끝나기도 전에 엄한 목소리로 일렀다.

"잡혀갈 때 열번 백번 잡혀가더라도 반드시 해야 할 일은 해야하는 법이야! 어찌 나라의 장래를 걱정하는 이가 잡혀가는 걸 두려워하겠는가?"

"예, 스님. 소승의 생각이 짧았습니다."

"음. 그건 그렇고 자넨 분명히 내 전갈을 원서동 보살에게 제대로 전했는가?"

"예, 스님. 분명히 원서동 보살님께 직접 전했습니다. 어두워지면 곧바로 별궁 최상궁께 기별을 하겠다고 그러셨습니다."

웬일인지 그날 밤 용성선사는 문까지 열어놓고 최상궁이 오기를 초조하게 기다리고 있었다. 이윽고 밤이 깊어갈 무렵 누군가 조심스럽게 걸어오는 기척이 들려왔다.

"대사님께 최상궁 문안드리옵니다."

"어서 오시게. 그러지 않아도 기다리고 있었네."

방으로 들어온 최상궁은 나붓이 앉아 용성스님께 절을 올렸다.

"허허. 그냥 앉지 않으시고."

"그 사이 별고 없으셨습니까, 대사님."

"밤이 너무 야심했으니 용건만 긴히 말씀드려야겠네."

"예, 대사님. 말씀하시지요."

"내 앞으로 초하룻날과 보름 때마다 대중법회를 열 작정이니 그리 아시고 대중들을 좀 모아 주시겠나?"

"대중법회를요?"

용성스님은 고개를 끄덕이며 이어 말했다.

"역적모의를 하는 것도 아닌 터에 숨어서 오고 가야 할 까닭이 없으니 아예 터놓고 법회를 열겠네."

"절도 없는데 어디서 말씀이시옵니까?"

"부처님은 길거리에서도 설법을 하셨으니 장소야 어디면 어떠시겠는가. 바로 이 집에서도 하고 원서동 보살댁에서도 하고, 아무데서나 장소를 가리지 않고 법회를 열겠네."

스님의 이야기에 수긍이 가는지 최상궁의 입가에 희미하게 미소가 번지기 시작했다.

"듣고 보니 과연 대사님 생각은 크고도 넓으십니다. 스님이 설법을 하시고 신도가 법문을 들으러 가는 거야 비밀로 해야 할 까닭이 없으니 말입니다. 그럼 대사님, 신도들은 제가 다 알아서 불러모으겠습니다. 그 점은 조금도 염려하지 마시옵소서."

"고맙소. 최상궁!"

7

까치밥을 남겨두고 고수레 하는 뜻은

　용성선사의 세속나이 쉰 여덟 살이던 1921년 음력 5월 보름이었다.

　이날 가회동 불교신도 강거사의 사랑채에서는 때아닌 가정법회가 열리고 있었다. 용성스님 출옥 후에 처음 열리게 된 이 가정법회에 모여든 사람은 무려 40여 명에 이르렀다. 어렵게 열리게 된 첫 법회여서인지 신도들의 얼굴은 사뭇 기대와 흥분으로 들떠 있었다.

　그런데 법회를 막 시작하려는 판에 불청객 한 사람이 끼어들었다.

　불청객은 돌연 법회준비로 분주히 돌아다니는 집주인 강거사를 가로막고 용성스님 쪽을 가리키며 무어라고 한마디했다. 강거사는 얼굴이 곤혹스럽게 일그러지더니 곧이어 스님에게 달려와 소리쳤다.

"대사님! 큰일났습니다."

"아니 큰일이라니! 무슨 일인데 그러십니까?"

"고등계 형사가 대사님을 만나겠다고 찾아왔습니다."

"고등계 형사?"

"예에…… 저기…….."

강거사가 턱짓으로 가리키는 곳에는 서대문 형무소에서 간수로 가장하고 용성스님의 동태를 감시하던 예의 그 고등계 형사였다. 형사는 스님과 눈이 마주치자 느물느물 웃으며 천천히 다가왔다.

"하하하하…… 안녕하셨습니까, 독립운동가 선생?"

"아니, 그대는 서대문 형무소에 있던 바로……."

"기억해주셔서 감사합니다. 형무소 파견근무는 이미 끝났고, 이번에 종로 근무를 명령받았습니다. 특별히 백용성 선생을 잘 모시라는 지시를 받았습니다. 하하하…….."

형사는 입으로는 비위좋게 웃고 있었지만, 뱁새 같은 눈초리는 여전히 사위를 살피느라 날카롭게 번득였다. 용성스님은 이맛살을 찌푸리며 형사에게 말했다.

"대체 무슨 일로 오늘 여기까지 왔단 말이던가?"

"첩보가 들어오기를 가회동 백용성의 임시처소에 웬 사람들이 모여들고 있다고 해서 말입니다. 그래서 내가 직접 나온 건데, 혹시 오늘 또 사람들을 모아놓고 독립만세라도 외칠 작정입니까?"

"법회를 여는 것도 죄가 된다던가?"

"법회라? 내가 알기로는 사찰에서 여는 게 법회인데 …… 그렇지 않습니까, 독립운동가 선생?"

어느 정도 예상하고 있었던 일이었다.

용성스님은 느물거리며 자신을 떠보는 형사를 바라보며 엄격한 목소리로 입을 열었다.

"설법을 하는 사람과 설법을 듣는 대중이 모이면 법회는 어디서든 아무 때도 열 수 있는 것! 옛날에 부처님께서는 저잣거리에서도 설법을 하셨고, 왕궁에서도 설법을 하셨거니와 우리나라에서는 스님이 들판을 지나가다가도 들판에 법석을 마련하고 설법을 하면 인근 들판에서 일하던 백성들이 구름처럼 몰려들어 설법을 들었으니, 하물며 가정집에서 법회를 여는 것이 무어 그리 이상하단 말인가?"

"그러니까 오늘 이 모임은 어디까지나 정치적인 목적의 집회가 아니라 순수한 종교집회다 그런 말입니까?"

"부처님의 가르침을 신도들 마음속에 심어주고 그 가르침을 실천토록 하기 위해 법회를 연 것이니 그리 알고 돌아가게."

"좋습니다. 헌데 ……."

"헌데 또 무엇인가?"

"모두들 대사님, 대사님 그러던데 기왕에 나온 김에 나도 대사님의 설법을 좀 듣고 가면 안되겠습니까?"

"부처님의 가르침을 전해 듣고 사람다운 사람이 되어준다면 그보다 더 좋은 일이 어디 있겠는가?"

"사람다운 사람. 아니 그게 대체 무슨 말씀이십니까?"

"부처님의 가르침을 배우고 믿고 실천하면 누구나 다 착한 사람이 되는 법이니 그대도 법회에 참석하는 게 나쁘진 않을 것이란 말이야."

"으음……."

자신에 대한 욕이나 진배없는 스님의 말에 순간 형사의 눈이 번쩍하며 노기를 띠었다. 그러나 금방 평정을 되찾은 형사는 어차피 조선땅에서 고등계 형사 노릇을 하고 살아가려면 그만한 수모쯤은 얼마든지 감수해야 한다고 대단한 각오나 한 것처럼 스스로를 대견하게 여기는 것 같았다. 그의 입가에 차가운 미소가 흐르기 시작했다.

형사는 허리까지 굽신 숙이며 용성스님에게 말했다.

"아무튼 허락해 주어서 고맙습니다."

이렇게 해서 용성스님은 법당도 불상도 없는 남의 집 사랑채에서 설법을 하기 시작했다. 비록 고등계 형사가 서슬 퍼렇게 지켜보고 있는 상황이었지만 스님의 태도는 아무런 거리낌이 없어 보였다.

스님께서 법상에 오르길 기다리던 대중들은 조용히 눈을 감고 각자 염불을 외고 있었다. 형사가 와서 지켜보고 있는 삼엄한 상황이라 불안한 마음이 없지 않았으나 용성스님의 태연한 기색을 대하자 다들 안정을 찾기 시작한 것이다.

용성스님은 대중들의 면면을 일일이 둘러본 후에 들고 있던 죽비로 탁자를 세번 내리치며 말했다.

"자, 이제 모두들 눈을 뜨셔도 좋습니다."

대중들은 일제히 눈을 뜨고 스님을 바라보았다.

"보시다시피 여기는 법당이 아니니 비록 불상도 모시지 못하였습니다마는, 부처님은 지금 바로 여러 대중들의 마음속에 자리하고 계시니 여러 대중들은 마음속에 자리한 부처님을 소중히 잘 모시고 부처님이 이르신 말씀을 되새겨 보도록 합시다. 첫째로 부처님이 우리에게 이르신 가르침은 불살생이니 무릇 생명있는 것을 죽이지 말라! 땅 위에 사는 짐승, 날아다는 새, 심지어는 벌레, 미물까지도 죽여선 안된다고 이르셨으니 하물며 무고한 백성의 목숨을 죽이는 것은 악독한 죄악 가운데서도 가장 악독한 짓이니 무서운 과보를 받아 지옥에 떨어질 것이다."

용성스님의 설법은 시작부터가 은근히 일제의 만행을 겨냥한 것이었다. 스님의 의중을 깨달은 대중들은 서로 눈빛을 교환하며 수런수런 속삭였다. 고등계 형사는 미간을 좁히며 신경을 곤두세우기 시작했다.

스님은 다시 입을 열어 말했다.

"둘째로 도둑질하지 말라고 이르셨으니 남의 땅과 재산을 강제로 송두리째 빼앗는 것도 도둑질이요, 남을 흉기로 위협해서 재물을 빼앗는 것도 도둑질이요, 무지하고 몽매한 사람을 속여서 재물을 빼앗는 것도 도둑질이니 이런 죄악을 저지르면 반드시 무서운 과보를 받아 지옥에 떨어질 것이요."

"중지, 중지!"

고등계 형사가 소리를 빼액 지르며 용성스님이 설법을 하고 있는 법상 앞으로 내달려왔다. 그는 들고 있던 곤봉으로 법상을 내리치며 말했다.

"가만히 듣자 듣자 하니 대사는 지금 법회를 빙자하여 우리 일본을 욕하고 우리 일본을 저주하고 있는 것이 아닌가?"

순간 용성스님의 눈에 번쩍 불이 일었다. 스님은 형사의 가슴팍을 찌를 듯이 주장자를 치켜들고 호령했다.

"너 이놈! 내 설법이 부처님의 말씀에서 단 한치도 어긋남이 없거늘 어찌하여 법회를 훼방하고 경거망동하는가? 조선총독에게 직소를 해서라도 네놈을 기어이 파면시키고 말 것이니라!"

고등계 형사는 불화살을 쏘는 것 같은 용성스님의 호령에 어쩐지 주눅이 들었다. 그는 슬금슬금 뒷걸음질을 치면서 말했다.

"좋소! 어디 두고봅시다!"

"두고보면 네놈이 날 어쩌겠다는 것이냐?"

도망치는 형사의 등 뒤에서 스님의 목소리가 쩌렁쩌렁 울렸다. 무슨 일이라도 터질까 불안해 하며 이 사태를 지켜보던 대중들은 형사가 도망치듯 사라지자 한숨을 내리쉬며 웅성거리기 시작했다.

"스님! 고정하시옵소서."

어느새 용성스님 곁으로 달려온 최상궁이 스님을 부축하며 말했다.

형사가 나가자 강거사는 재빨리 쫓아가서 골목안을 살핀 뒤에 대문을 걸어 잠그고 돌아왔다.

"그 자는 이미 갔사옵니다, 대사님."

그러나 용성스님은 아무 대답이 없었다. 아까부터 법상 앞에 선 자세 그대로 생각에 잠긴 얼굴로 미동도 않고 서있었다. 스님이 대중들 있는 데서 이렇게 화를 낸 것은 거의 처음 있는 일이었다.

"스님의 법문이 어찌나 통쾌하던지 십년 묵은 체증이 다 내려간 것 같습니다, 스님."

이러한 최상궁의 말에 강거사는 머리를 끄덕이면서도 뒷일을 걱정하지 않을 수가 없었다.

"하온데 대사님! 저자들이 또 무슨 해코지를 해올지 그게 걱정이옵니다."

그제서야 용성스님은 천천히 입을 열었다.

"아무 일도 없을 테니 대중들은 걱정할 게 조금도 없습니다."

"스님! 오늘 법회에 나온 대중들이 이렇게 시주금을 모았사오니 속히 법당을 세우시옵소서."

최상궁이 내민 자그마한 함에는 대중들이 정성을 다해 모은 시주금이 가득 들어 있었다.

이날의 가정법회에서 용성선사가 설법한 내용은 곧 일본의 만행을 빗대어 꾸짖은 것이었으니 일본인 고등계 형사가 이것을 눈치채지 못할 리가 없었다. 용성선사는 결국 설법 내용이 불온하다는 이유로 또 다시 취조를 받게 되었다.

취조실에 앉은 고등계 형사는 서류를 넘기면서 말했다.

"바로 이것이 대사님께서 설법하신 내용을 기록한 것인데 무릇 생명있는 것을 죽이지 말라! 땅위에 사는 짐승, 날아다니는 새, 심지어는 벌레 미물까지도 죽여선 안된다고 이르셨으니 여기까지 맞는가?"

"내가 말한 그대로이니 맞다."

용성스님이 고개를 끄덕이자 형사는 다시 물었다.

"그럼 한 가지 묻겠는데 불교를 신봉하는 조선사람들은 이 부처님의 가르침을 정말로 실천하고 사는가?"

"불교가 이 조선땅에 들어온 지 이미 천육백 년이 넘었으니 모든 조선 백성들은 불교를 신봉하건 신봉하지 아니하건 대부분 다 부처님의 불살생계를 지키고 있다."

"내가 믿을 수 있도록 증거를 댈 수 있는가?"

스님은 주저하지 않고 이야기를 꺼내었다.

"조선백성들은 육식을 좋아하지 아니하고 채식을 좋아하고 있을 뿐만 아니라 들에 나가 일을 하거나 놀이를 할 적에 음식을 먹을 때는 반드시 고수레를 하고 있다."

"고수레? 음식을 내던지며 고수레 …… 하는 그것 말인가?"

"그렇다."

"그거야 미신 아닌가?"

"너희들 일본사람 눈에는 미신으로 보일지 모르나 고수레를 하면서 음식을 들판에 던지는 것은 들짐승들에게도 먹을 것을 나누어 주자는 깊은 뜻이 담겨 있으니 이것은 바로 뭇 생명을 아끼고 귀중히 여기라는 부처님의 가르침을 실천하는 한 방법이다. 뿐만 아니라……."

"뿐만 아니라 또 무엇인가?"

"가을에 감나무에서 감을 딸 적에도 반드시 적게는 열두어 개 많게는 이십여 개를 남겨두고 따는 것을 그대는 보았을 것이다."

"감나무에 감을 남겨두는 것 말인가?"

"그렇다. 까치밥이라고 해서 남겨두는 감 말이다. 거기에도 생명을 아끼는 깊은 뜻이 들어 있으니 추운 겨울 눈이 쌓였을 때 날짐승들 먹고 살라고 남겨두는 것이다. 이렇게 우리 조선백성들은 부처님의 가르침을 실천하면서 살아오고 있다."

빈틈 없는 용성스님의 말에 반박할 말을 잃은 형사는 책상을 두드리면서 억지를 부리기 시작했다.

"거짓말 하지 마라! 법회에서 해야 할 필요가 조금도 없는 소리를 먼저 깔아놓고 우리 일본을 욕하기 위해서 한 소리가 아닌가?"

"살생을 하지 말라는 부처님의 가르침은 이미 우리 조선인의 핏줄 속에 젖어 있다. 참새고기를 먹으면 그릇을 잘 깨뜨리니 먹지 말라 이르고 있고, 까마귀고기를 먹으면 깜빡 잘 잊어먹는 건망증이 심해지니 먹지 말라 이르고 있으니 부처님의 불살생계를 지키도록 하기 위해 많은 가르침을 전해오고 있는 것이다."

"흥! 거짓말하지 마라! 무고한 백성을 죽이는 것은 악독한 죄악 가운데서도 가장 악독한 짓이니 반드시 무서운 과보를 받아 지옥에 떨어질 것이다라는 말을 하기 위해서 온갖 허튼소리를 한 게 아닌가?"

"그럼 너희 일본에서는 짐승이나 새나 벌레를 잘 죽이고 많이 죽이는게 자랑스런 일이요, 무고한 백성을 죽이는 것이 좋은 일이란 말인가?"

"경우에 따라서는 좋은 일이요, 자랑스런 일이라고 생각한다. 우리 대일본제국에서는 미신에 사로잡혀 고수레를 하거나 아까운 과일을 까치밥으로 남기는 것 같은 멍청한 짓은 하지 않는다."

형사는 용성스님의 설법을 기록한 서류를 넘기면서 손가락으로 어느 한 대목을 가리키며 말했다.

"문제는 바로 여기에 있다. 반드시 지옥에 떨어질 것이다, 이 대목은 일본이 지옥에 떨어질 것이라는 말인지?"

"일본이건 미국이건 러시아건 지옥에 떨어질 짓을 했으면 지옥에 떨어질 것이지만 일본이라고 딱 잘라 지적한 일은 없다."

형사는 또 다른 대목을 가리키며 말했다.

"그리고 이것은 또 무슨 소린가? 남의 땅과 재산을 송두리째 빼앗는 것도 도둑질이요, 총칼로 위협해서 빼앗는 것도 도둑질이요, 속여서 빼앗는 것도 도둑질이라니 결국 일본이 조선을 도둑질 했단 말인가?"

"그것은 너희 일본사람들이 나보다 더 소상히 알고 있을 터! 그 문제는 내가 답변할 일이 아니다."

일본의 경찰은 무슨 트집이건 잡히기만 하면 조선의 독립투사들을 다시 잡아넣으려고 혈안이 되었지만 용성스님은 용케도 이들의 유도 심문에 걸려들지 않았다. 형사는 서류철을 탁 덮으며 분하다는 듯이 말했다.

"좋다! 상부의 지시가 떨어지면 다시 부르겠다."

다행히도 용성스님은 그날 밤으로 풀려나게 되었다.

밤늦도록 대문 밖에 나와 있던 동헌은 골목 저쪽에서 용성스님의 모습이 보이자 한걸음에 달려가며 외쳤다.

"아이구, 스님! 돌아오셨군요! 별일 안 당하셨습니까?"

"으음, 그래. 아무 일 없었으니 어서 들어가세나."

"저, 스님. 최상궁이 아까부터 와서 기다리고 계십니다."

"그래?"

동헌과 스님이 사랑채에 들어서자 발자국 소리를 들은 최상궁이 혹시나 하는 생각에 방문을 열었다. 기다리던 스님의 얼굴이 보이자 최상궁은 허둥지둥 버선발로 쫓아나왔다.

"아이구, 스님! 무사하셨습니까?"

스님은 환한 미소를 지으며 말했다.

"아 출가한 중이 부처님 말씀을 옮겼기루 그게 무슨 죄가 되겠습니까?"

"허지만 저 무식한 왜놈들 귀에야 부처님 말씀이 부처님 말씀으로 들려야 말이지요."

"옳은 말씀입니다. 앞으로는 더욱 미행과 감시가 심해질 터인즉 각별히 조심들 하셔야 할 것이오."

스님이 동헌에게 고개를 돌리며 각별히 당부하는 말이었다. 동헌은 고개를 숙이며 공손히 대답했다.

"네, 스님. 명심하겠습니다."

용성스님이 자리에 앉기를 기다려 최상궁이 넌지시 말을 꺼내었다.

"그래서 말씀인데요, 스님. 마마께옵서도 도와주시기로 하셨고 임상궁께서도 돕겠다 하셨으니 번듯한 법당을 속히 세우셔야 하겠습니다. 그래야 저놈들 의심을 좀 덜 받을 게 아니겠습니까?"

스님 역시 고개를 끄덕이며 최상궁의 말에 동의를 표했다.

"옳으신 말씀이오. 그럼 어떻게든 우선 법당부터 세우기로 합시다."

8

대각교를 설립하다

용성스님은 가회동 211번지 강거사의, 집에 머물면서 역경사업 뿐만 아니라 저술에도 상당한 정력을 쏟았다. 마침내 스님은 1921 년 9월 25일 삼장역회 이름으로 〈심조만유론〉이라는 책을 간행하기에 이르렀다. 이 〈심조만유론〉은 세계와 중생이 생성된 원리를 그 내용으로 하고 있는 귀중한 저술이었다.

어느 날 스님은 시자 동헌을 불렀다.

"부르셨습니까, 스님!"

"오, 그래. 어서 들어오시게."

"예, 스님."

동헌이 방에 들어와 스님 앞에 앉자 스님은 얼마 전 간행한 〈심조만유론〉이란 책을 내보이며 말했다.

"으음…… 동헌이 자네 이 책을 읽어보았는가?"

"아, 아직 읽어보지 못하였습니다, 스님."

동헌은 몹시 겸연쩍은 얼굴로 대답했다. 그러나 스님은 빙그레 웃으며 말했다.

"괜찮네. 내 자네를 나무라자고 부른 것이 아니라 특별히 당부할 말이 있어서 불렀네."

"예, 스님."

"자네가 내 문하에 들어온 지 수년이 지났으나 처음 몇 년은 옥 바라지 하기에 바빴고, 또 내가 감옥에서 나와서는 집도 절도 없이 이렇게 신도들의 집에서 떠도는 처지가 되었으니 미안하기 짝이 없네."

"아닙니다, 스님. 왜 그런……."

"또 역경사업이다, 새 법당 건립이다 뭐다 하여 앞으로도 더욱 바쁘게 될 것일세. 내 오늘 자네에게 이 책을 읽어보았느냐고 새삼스러이 묻는 까닭은 그럴수록 자네가 더욱 심기일전해서 스스로 공부에 힘써주기를 바람이야."

"알고 있사옵니다, 스님."

"시자 노릇이 쉽지 않다는 것은 나도 잘 알고 있네. 그러나 졸린 눈을 부비며 공양간에 앉아 솥뚜껑을 두드려가며 염불을 외던 행자 시절을 기억해 보게나."

"예에 ……."

"내 이번에 간행한 〈심조만유론〉에는 우리가 살고 있는 이 세계가 어떻게 만들어진 것인지 또 인간이란 무엇이며 어디에 근원을 두고 있는지를 상세히 쓴 것이니 틈틈히 읽고 공부하길 바라네. 그리고 공부할 때에 무조건 외우려고 하지 말고 그 깊고 오묘한 뜻을 새겨보고 그래도 모르는 것이 있거든 언제든지 와서 묻게. 아시겠는가."

"예, 스님. 명심하겠습니다."

〈심조만유론〉의 저술을 끝낸 용성스님은 본격적으로 법당 건립에 착수하게 되었다.

하루는 시자 동헌에게서 법당 지을 터를 알아보고 있다는 말을 들은 강거사가 사랑채로 용성스님을 찾아왔다.

"대사님, 안에 계시옵니까?"

"예. 들어오시지요, 거사님."

〈심조만유론〉을 펴낸 지 며칠 되지도 않았건만 용성스님은 또 무언가를 열심히 쓰고 있었다. 강거사는 의아한 표정으로 스님께 여쭈었다.

"아니 또 무슨 글을 쓰고 계십니까, 대사님?"

스님은 지필묵을 거두어 윗목에 밀어놓으며 말했다.

"앉으시지요."

"예에. 시자스님에게 듣자니 요즘 법당 지으실 터를 알아보시고 있다구요? 그래 마땅한 자리가 있었는지요."

"예. 조선 기와집 한 채를 이미 사놓았습니다."

"조선 기와집이요? 어디다가 말씀이십니까?"

"전에 대각사가 있던 바로 옆, 그러니까 그전에는 봉익동 1번지 였습니다만 이번에는 봉익동 3번지올습니다."

"아이구! 그것 참 잘하셨습니다."

강거사는 몹시 기뻐하며 말했다.

"그럼 역시 사찰 이름도 대각사라고 하시겠습니까?"

"물론 그래야지요."

"헌데 대사님, 대각사라고 사찰이름을 지으신 데는 다 그만한 깊은 뜻이 있으시겠지요?"

"그야 뭐 별다른 뜻이 있는 건 아닙니다만 글자 그대로 크게 깨 닫는 절이다 그런 뜻이지요. 우리가 부처님이라고 부르는 데는 원 래 그 뜻이 크게 깨달은 분이다 하는 뜻에서 부처님이라고 하는 것 이니 그래서 절 이름을 대각사다 그렇게 지었습니다."

"아, 예. 그러셨군요. 헌데 그 조선 기와집을 사셨다면 개조를 하셔야지 그대로는 법당으로 쓰시기가 어려울 텐데……."

"예. 다른 것은 아쉬운 대로 그냥 쓰더라도 법당만은 새로 지어 올려야 할 것 같습니다."

"그러시다면 소생도 일조를 해드려야겠는데 무엇을 어떻게 도와드려야 할지 ……."

"원, 무슨 말씀을요. 그러지 않아도 이렇게 사랑채를 내주시고 기거를 허락해 주셔서 큰 폐를 끼치고 있는 터에 무슨 염치로 또다른 도움을 바라겠습니까? 말씀만으로도 너무나 고맙습니다."

"아, 아니올습니다, 대사님! 비록 벼슬길 떨어진 지가 오래되긴 했습니다만 조상 대대로 물려받은 게 아직 좀 남아 있으니 법당 대들보는 올리지 못한다고 하더라도 서까래는 마땅히 올릴 수 있도록 허락하여 주셔야 할 줄 아옵니다."

"아이구 이거! 그렇지 않아도 거사님께 진 빚이 산더미 같거늘 여기에 또 빚을 더 지면 그 많은 빚을 어느 세월에 어찌 다 갚으라고 이러십니까? 말씀 거두어 주십시오."

"원, 별 말씀을요! 대사님께서는 큰일을 하시고 저희들이야 그저 작은 일을 도울 뿐이니, 다른 염려는 하지 마시고 어서 법당이나 새로 올려 세우십시오."

"고맙습니다, 거사님! 정말 고맙습니다."

이렇게 수많은 불교신도들의 정성을 바탕으로 용성선사는 종로 봉익동 3번지에 다시 대각사를 일으켜 세우게 되었다. 이때가 바로 1922년 9월의 일이었다.

드디어 새로 지은 대각사에서 신도들을 모아놓고 회향식을 올리는 날이었다. 새로 지은 대각사 앞뜰에 소슬한 가을바람이 불어오고 있었다.

스님의 시자 동헌은 신도들의 시중을 드느라 눈코 뜰새 없이 바쁜 가운데서도 새로 절을 세운 기쁨을 억제치 못해 종일 싱글벙글 하였다.

그도 그럴 것이 용성스님이 서대문 형무소에 갇혀 있었을 때부터 주욱 동가식 서가숙 하며 신도집을 전전해오던 동헌이었으니 그 기쁨은 무엇에도 비할 수가 없을 터였다. 새로 세운 법당 안에 가득 찬 사람들을 보기만 해도 자기도 모르게 히죽히죽 웃음이 비져 나왔다. 정말 춤이라도 덩실덩실 추고픈 심정이었다.

그런데 이날 용성스님은 돌연 폭탄선언을 하고 말았다. 수백 명의 대중들이 모인 회향식 자리에서의 일이었다.

용성스님은 감회어린 눈빛으로 웅성거리는 대중들을 둘러보았다. 스님의 묵연한 표정에 법당 안은 물을 끼얹은 듯 한순간에 조용해졌다.

용성스님은 비감한 어조로 이야기를 시작했다.

"여러 대중들은 잘 들으시오. 부처님의 대자대비하신 가르침이 이 땅에 전래된 지 실로 천육백 년이 가까워 오니 새삼 감회가 새롭습니다. 우리 조상들은 대대로 모두 다 부처님을 신봉하시었고, 말 한마디, 걸음걸이 하나에도 부처님의 가르침이 스며 들도록 하였습니다. 허나 뜻하지 않은 배불정책으로 무려 3백 년 동안이나 승려의 도성출입이 금지될 지경으로 천시를 받았거니와 이로 인하여 승려가 길을 지나가면 아이들까지 놀리는 일이 비일비재했고, 지체 높은 사람들은 불교 신봉하는 것을 멸시하고 구박해 왔습니다. 뿐만 아니라 국운이 기울어 일본이 이 땅을 삼킨 뒤로 조선불교는 계율이 무너지고 종통이 흩어지고 맥이 끊겼으니 출가했던 승려가 아내를 얻고 육식을 상식하며 일본불교와 다름없게 되어버렸습니다."

이날 용성스님의 설법은 다른 때와 달리 비장함이 흐르고 있었다. 새로 지은 대각사에 모인 대중들은 한결같이 심상치 않은 기운을 느끼고 사뭇 긴장하고 있었다. 한동안 말을 끊고 대중들의 반응을 둘러보던 스님은 다시 천천히 입을 열었다.

"이런 까닭으로 소승은 오늘 이 법당에서 부처님을 새롭게 신봉하는 대각교 설립을 만천하에 선포하는 바이요!"

순식간에 법당 안은 벌집 뒤집어 놓은 듯한 소란에 빠졌다.

"뭐, 뭐라구? 대각교 설립을 선포한다니!"

"이건 또 무슨 다른 종교인가!"

대중들의 반응은 각양각색이었지만 그 흥분과 놀라움은 공통된 것이었다. 용성스님은 이 모든 최악의 결과를 각오한 사람처럼 침착하게 법상을 지키고 서있었다.

대각교 설립.

이것은 우리나라 불교 역사상 충격적인 사건이었다. 불교라는 말대신 대각교라고 했으니 이거야말로 새로운 신흥종교의 탄생이 아니냐고 따지는 사람이 많았던 것은 어쩌면 당연한 일이었을 것이다.

대각사 건립에 도움을 아끼지 않았었던 최상궁도 놀라움을 금치 못하고 스님 앞으로 달려왔다.

"아니 스님! 이게 대체 어찌 된 말씀이시옵니까? 대각교를 새로 만든다 하시니 그럼 부처님은 어찌되는 것이옵니까, 예에?"

"최상궁은 잘 들으시오. 그리고 마마께나 임상궁께도 그대로 잘 전하셔야 합니다. 조선왕조 오백 년 동안 불교라는 말은 짓밟히고 천대받아 추하게 되었고, 이젠 일본불교처럼 타락까지 했으니 불교라는 이름이 너무 더럽혀져서 더 이상 쓰기에 부끄럽게 되었으므로 부처님을 신봉하는 새로운 대각운동을 펴자는 뜻이니 이 점 오해가 없으셔야 합니다."

"무슨 말씀이신지 저는 통 영문을 알 수가 없사옵니다, 스님."

그때 시자 동헌이 구를 듯이 달려와 스님께 여쭈었다.

"스님, 스님! 큰일났습니다! 신흥종교는 믿을 수 없다면서 많은 사람들이 항의하고 소리치고 있습니다!"

"으음…… 그냥 놔두시게. 대각교 설립의 뜻을 확실히 이해하기에는 좀더 많은 시간이 필요한 것이니."

사실 용성스님이 온갖 반대를 무릅쓰고 대각교를 설립한 데는 그만한 까닭이 있었다. 당시의 조선불교는 이미 조선총독부의 식민지 종교정책에 의해 독신청정 계율이 깨진 지 오래였다. 조선승려 80% 이상이 아내를 얻고 육식을 하는가 하면 일본불교에 예속되어 친일파로 변신, 치사한 작태를 일삼는 자까지 나타나고 있는 상황이었다.

용성스님은 이 대각교 설립을 통해 청정계율을 엄히 지키고 우리나라 고유의 법맥과 종풍과 선맥을 지켜나가는 데 앞장설 것을 선언했던 것이다.

그러나 용성스님의 이 비장한 의지와 깊은 뜻을 얼른 이해해주는 사람은 많지가 않았다. 그것은 스님을 가까이 모시던 최상궁이나 강거사 역시 마찬가지였다.

"하오면 스님! 이름만 대각교라 부를 뿐이지, 부처님을 신봉하는 것은 변함이 없으시다 그런 말씀이신가요?"

"최상궁은 잘 보시오. 그리고 거사님도 똑똑히 보십시오. 법당에는 대체 누가 모셔져 있소이까? 석가모니 부처님 그리고 관세음보살님 그리고 또 한분 지장보살님이 모셔져 있소이다. 그렇지 않소이까?"

"예에. 그건 그렇사온대 다만 교의 이름이 불교가 아니고 대각교라 하시니 그것이 좀 이상해서요.”

용성스님은 두 사람의 의문이 당연한 것이라는 듯 고개를 끄덕이며 설명하기 시작했다.

“부처님이란 본래의 뜻이 크게 깨달으신 분이라는 말이니 명칭만 달리 했을 뿐 불교나 대각교나 같은 것입니다. 앞서도 이미 말씀을 드렸습니다마는, 조선왕조 오백 년 동안 불교는 그야말로 천덕꾸러기였습니다. 그래도 독신 청정계율은 엄히 지켜졌고, 가난하고 괄시받고 천대는 받았을지언정 법맥을 잇고 선풍을 드날리고 종풍을 고이 간직해 왔었소이다. 헌데 왜놈들이 이 땅을 강탈한 이후 왜놈들이 시키는 대로 출가승려가 아내를 얻고 자식을 낳으며 육식을 즐기고 술까지 마시면서 취처육식도 무방반야라며 엉터리 같은 소리만 떠들고 다니니 이게 대체 조선불교의 본래 모습이겠습니까?”

용성스님의 설명에 최상궁도 수긍을 하고 나섰다.

“아이구 스님! 그건 저도 절대 찬성하지 못합니다. 왜놈들이 절간에서 살림을 하고 왜놈들 절간에 기저귀가 널린 꼴을 보니까 아주 정나미가 삼천리나 떨어지던 걸요?”

강거사도 한마디 거들었다.

“아, 왜놈중들이 부인을 얻고 육식을 하는 거야 나 역시도 추하게 여기는 사람입니다. 세상에 원!”

"조선총독부가 마음대로 관장하고, 조선총독부가 시키는 대로 놀아나고, 조선총독부가 조종하는 대로 움직이는 그런 타락한 조선 불교, 왜놈 승려들이 좌지우지하는 그런 조선불교에는 나는 절대로 낄 수가 없습니다. 그래서 명칭을 대각교라 한 것이지 다른 뜻은 조금도 없소이다."

그제서야 대각교 설립의 취지를 이해하게 된 최상궁과 강거사는 환한 얼굴로 말했다.

"잘 알았사옵니다, 스님. 스님의 뜻이 조선불교다운 조선불교를 지키자는 데 있으시다면야 아 이름이 대각교면 어떻고 대대각교면 또 어떻겠습니까? 안 그렇습니까, 거사님?"

"그, 그야 어디 다 이를 말씀이겠습니까? 대각교든 태각교든 대 사님 뜻대로 하시고, 그저 어쩌든지 조선불교다운 불교만 지켜주시 고 이끌어 주십시오."

"고맙소이다! 정말 고맙소이다."

이렇게 해서 용성선사는 신도들에게 대각교 설립의 참뜻을 전하 고 이해를 구하게 되었다. 처음에는 대각교라는 게 무슨 신흥종교 의 탄생인가 하고 의아하게 생각하던 신도들도 차차 용성스님의 깊 은 심중을 이해할 수가 있었다.

얼마 후 용성스님은 다시 신도들이 모인 자리에서 대각교 행동 강령인 열두 가지 각문을 발표하기에 이르렀다.

"우리 대각교는 천당에 가려고 하는 교가 아니라 마음속의 대원
견성을 깨우쳐 영원히 생사고해를 해탈하고 모든 중생을 깨닫게
하는 것이 목적이니 대각의 진리를 천하대중에게 선전하여 미신
을 타파하고, 정도로 나아가게 하며 다른 사람이 잘되는 것을 보
거든 내가 잘되는 것 같이 즐거워하며 대각성인 부처님 전에 불
공을 드리거든 천하대중과 일체 유정동물이 다 삼계고행을 해탈
하고 낱낱이 크게 깨달아 성인이 되기를 원할 것이니, 첫째 법을
의지하여 종교를 준행하되 법에 집착하지 말 것이며, 둘째 세속
에 있어서도 행을 수련하고 세속에 물들지 말 것이며, 셋째 마음
을 밝혀 성리를 깨치고 미혹에 빠지지 말 것이며, 넷째 강함을 막
되 두려워함이 없고 약함을 침노하지 말 것이며, 다섯째 욕됨을
참되 가리는 데가 있고 우치함에 빠지지 말 것이며, 여섯째 공공
한 사업에 목숨을 바치고 사사로움을 빙자하지 말 것이며, 일곱
째 자기 생활에 있어 힘으로 노동하고 남에게 의뢰하지 말 것이
며, 여덟째 때를 관찰하여 학문을 연습하고 행세를 추앙하지 말
것이며, 아홉째 다른 생각으로 계율을 지켜 삿된 생각을 하지 말
것이며, 열째 중생을 위하여 덕화를 베풀고 자기 몸만을 이롭게
하지 말 것이며, 열한번째 서로 평등하게 깨침을 성취하고 조금
도 차별하지 말 것이며, 열두번째 믿음으로써 친구를 사귀고 착
함을 시기하지 말 것이니 이것이 바로 대각운동임을 명심하기 바

라오."

　용성스님이 말이 끝나갈 즈음 범종소리가 장엄하게 들렸다. 부
처님의 계시와도 같이 길게 여운을 끌며 귓전을 울리는 은은한
종소리를 들으며 신도들은 새삼스럽게 옷매무새를 가다듬기 시작
했다.

9
내가 이 너인가, 네가 이 나인가

용성스님이 대각사에 대각교를 설립하고 대각운동을 전개한 것은 조선총독부가 완전장악한 제도권의 불교계와 결별 선언한 것에 다름 아니었다. 다시 말해서 그것은 조선불교 특유의 청정계율과 법맥과 종풍을 지키고 진작시키자는 재야불교 혁신운동이라고도 할 수 있는 것이었다.

대각교라는 낯선 이름 때문에 처음에는 신흥종교를 새로 만든 것이 아니냐 해서 고개를 갸웃거리던 신도들도 있었으나 날이 갈수록 이 새로운 불교운동은 많은 신도들의 호응을 얻게 되었다.

어느 날 동헌이 용성스님의 거처로 달려와 소리쳤다.

"스님, 스님!"

"무슨 일인데 그러시는가?"

"예. 저 동호라는 화공께서 스님의 모습을 그림으로 그려가지고
와서 법당에 놓고 가셨습니다요!"

동호라는 화공이 자신의 모습을 그림으로 그려왔다는 말에 깜짝
놀란 스님은 와락 문을 열고 밖으로 나왔다.

"아니 무엇이라구? 내 모습을 그림으로 그려왔다니?"

"예. 여길 보십시오, 스님. 스님의 진짜 모습과 어찌나 꼭 닮았
는지 모두들 탄복을 하고 있습니다요!"

시자 동헌이 가져온 그림은 진짜 용성스님의 모습을 그린 것으
로 정녕 놀라운 솜씨였다. 스님의 얼굴과 꼭 닮은 것은 물론이려
니와 스님의 담대한 기상과 웅혼한 기백이 화폭에 생생히 살아 있
었다.

"허! 그 화공 솜씨가 아주 놀라우시군 그래. 내 실물보다 훨씬
더 그럴싸하게 그리시질 않으셨는가."

"아, 아닙니다요, 스님! 꼭 그대로 그리셨습니다요. 스님의 법문
을 듣고 너무 마음이 동하여 그 보답으로 그려왔다 하셨습니다."

"으음…… 정말 고마우신 화공이시네."

용성선사는 동호라는 화공이 그려온 자신의 초상화를 한참이나
들여다보았다. 보면 볼수록 그 화공의 따뜻한 마음씀이 고마웠다.
몇날며칠 공과 시간을 들여 그렸을 이 그림 속에는 대각교 정신에
대한 절절한 사모의 뜻이 담겨있는 듯했다.

스님은 동호 화상을 생각하며 즉흥적으로 붓을 들어 시 한수를
지었다

　　물과 물 산과 산은
　　부처님 모습이요
　　꽃과 꽃 풀과 풀은
　　조사님 뜻이로다
　　한가로움을 기다려 왔다가
　　한가로움을 기다려 가는데
　　달이 밝게 비침을
　　맑은 바람이 도웁는구나
　　개에게 부처님 성품이 없다 하였음은
　　조주선사의 망령된 분별이요
　　동호의 봄물은 푸르른데
　　백구는 뜨고 잠김을
　　마음대로 하는구나
　　내가 이 너인가
　　네가 이 나인가
　　초당에 봄날이 따뜻하니
　　백화가 익어 방자하게 피었구나.

이때 동호 화공이 그려준 용성스님의 초상화는 지금도 서울 봉익동 대각사에 그대로 모셔져 있어 용성선사 생전의 모습을 오늘날의 우리에게도 전해주고 있다.

아무튼 이 무렵 용성스님은 한문으로만 전해져온 불교경전을 조선글로 변역하여 책을 펴내겠다는 또 하나의 큰 서원을 세우고 밤낮을 가리지 않고 이 일에 몰두하기 시작했다.

어느 날 대각사에 들린 최상궁이 스님을 찾아왔다.

"스님, 오늘도 또 이렇게 글을 쓰고 계시옵니까?"

"내가 아니 하면 해줄 사람이 없어요. 문장도 시원칠 아니하고 능력도 모자라지만 한번 뜻을 세운 일이니 마무리는 해야지요."

"부처님 경전을 기어코 조선글로 옮기시겠단 말씀이시옵니까?"

"그 많은 부처님의 팔만사천 법문을 어찌 내가 다 조선글로 옮겨놓고 죽을 수 있겠습니까마는 할 수 있는 데까지는 옮겨볼 생각입니다."

용성스님은 하던 일을 잠시 밀쳐놓고 큰소리로 시자를 불렀다.

"옆방에 시자 있으신가."

"예, 스님!"

"이 방으로 좀 건너오시게."

"예, 스님."

잠시 후 시자 동헌이 방으로 건너왔다.

"부르셨습니까, 스님?"

"으음…… 여기 앉으시게."

"예."

동헌이 자리에 앉기를 기다려 용성스님은 조용히 입을 열었다.

"내 오늘은 최상궁과 시자에게만 특별히 밝혀둘 일이 있으니 심중에 잘 간직해 주시고 나를 좀 도와주셔야겠네."

스님의 진지한 태도에 최상궁과 동헌은 고개를 숙이며 공손히 대답했다.

"무슨 분부이시온지 말씀하시옵소서."

"명심해서 듣겠사옵니다, 스님."

용성스님은 따뜻한 미소를 지으며 두 사람을 번갈아 바라보았다. 스님의 그 미소에는 두사람에 대한 신뢰가 짙게 묻어 있었다. 스님은 이윽고 입을 열었다.

"그래, 내가 부처님 경전을 조선글로 옮겨 기어이 책으로 펴내겠다는 데는 몇 가지 까닭이 있네."

"네에."

"첫째는 내가 감옥에 있을 때 보니 다른 서양종교는 조선글로 경전을 펴내어 그걸 보고 기도도 하고 노래도 하거늘 우리 불교는 경전이 어려운 한문으로만 되어 있어서 보통 백성들이 읽을 수 없음이니 누구나 읽어 배울 수 있게 하고자 함이요."

"예에."

"예에."

"둘째로는 서양종교가 불교를 미신이라 공격하고 비방하고 있거늘 불교는 마치 경전도 없는 듯이 잘못 알려져 있으니 서양종교보다 이백배 삼백배나 더 많은 경전을 조선글로 옮겨 배포함으로써 부처님 가르침을 널리널리 알려 불교를 지키고 대중화하고자 함이요."

"예, 스님."

"셋째는 머지않아 왜놈들이 조선글을 사용하지 못하게 할 것이 분명한 일인즉 조선글로 불경을 펴내 널리 퍼뜨려 조선글을 우리가 보존하고자 함이니 불교경전을 조선글로 옮겨 펴내는 역경사업은 어떤 어려움이 있어도 반드시 실행해야 한다는 것을 명심들 해주셔야 하네."

스님의 자상한 설명이 끝나자 최상궁과 동헌은 머리를 끄덕이며 대답했다.

"네, 스님. 명심하겠습니다."

지금으로부터 70년 전 그 암담했던 일제 치하의 식민지 시절에 불교경전의 한글화 작업에 착수했던 용성스님은 과연 누구도 따르지 못할 숨은 뜻을 품은 선각자였다.

그러나 선각자가 가는 길은 결코 순탄하지만은 않았다. 고통스런 가시밭길을 일부러 걸어가려는 스님의 뜻을 이해해주는 사람도 사실 많지 않았거니와 설령 이해한다 하더라도 일제의 박해와 탄압이 무서워 아예 용성스님을 멀리하는 사람들이 대다수였다.

또한 걸핏하면 일본인 고등계 형사가 대각사에 나타나서 용성스님의 동정을 수시로 파악했으며 대각사에 드나드는 사람들까지 감시하는 것이었다.

고등계 형사는 아예 대각사로 출근하다시피 하면서 노골적으로 스님 앞에 모습을 드러내었다. 그는 툭하면 빈정대는 투로 스님께 이렇게 질문을 던지곤 했다.

"당신은 대사인가? 독립운동가인가, 그것도 아니면 사회사상가인가?"

"너희 일본사람 눈에는 대체 내가 무엇으로 보이기에 이렇듯 걸핏하면 나타나서 괴롭히는가?"

"대각교라…… 이런 명칭의 종교단체는 조선총독부 종교단체 명단에 있지도 않으니 이것은 분명한 사교집단이 아닌가?"

"사교집단?"

"그렇다. 조선총독부의 허가도 없고 등록도 없는 사교집단이니 문을 닫아야 마땅할 것이다. 내 말 알겠는가?"

그것은 진정 단순한 위협만은 아니었다. 대각교를 설립한 용성스님은 조선총독부가 완전히 장악한 제도권 불교계에 들어가지 않

았기 때문에 경우에 따라서 이것은 얼마든지 새로운 탄압의 빌미가
될 수가 있는 것이었다.

　게다가 용성스님이 새로운 대각운동을 전개하면서 조선불교 특
유의 엄정한 계율과 종통수호를 표방하고 나오자 이미 일본불교처
럼 타락해 버린 조선승려들은 대각교를 사교집단으로 모략, 중상하
기에 바빴다.

　결국 이들은 스스로 일본의 앞잡이가 되어 대각교를 탄압하기에
이르렀으니 참으로 가슴 아픈 일이 아닐 수 없었다.

　형사는 여유있게 웃으면서 품에서 서류 하나를 꺼내들었다.

　"이 대각교는 사교집단이니 당장 폐쇄시켜 달라는 진정서가 이
렇게 들어와 있다. 자, 한번 보겠는가?"

　고등계 형사는 자기 손으로 직접 서류를 펼쳐 용성스님 앞에 내
밀었다. 그건 진정 일본불교의 앞잡이가 된 조선승려들의 진정서
였다. 같은 조선동포의 손에 의해 씌어진 이 진정서 한장이 다른
어떤 일제의 혹독한 탄압보다도 더욱 용성스님의 마음을 쓰라리
게 했다.

　'도대체 자신이 제 살을 베고 있는 줄도 모르는 이 한심한 사람
들을 어찌해야 할꼬? 아! 이 나라, 이 민족이 진정 어디로 가고 있
는 것인가!'

　통탄할 일이었다. 용성스님은 고소를 금치 못하고 형사에게 말

했다.

"대체 너희들은 무엇을 사교집단이라고 하는 것인가?"

"총독부에 등록되지 아니한 사찰은 모조리 다 사교집단이다. 더 이상 무슨 할말이 있는가?"

"나는 분명히 가야산 해인사에 승려로 등록이 되어 있던 사람이요, 현재는 엄연히 동래 범어사에 등록되어 있는 승려의 신분이거늘 어찌하여 그대는 사교라는 언사를 농하는가?"

"무엇이라구? 부산 동래 범어사의 승려 신분이라고 그랬는가?"

"그렇다."

"좋다! 당장에 신원을 조회해서 만약에 범어사 승적 명단에 이름이 올라 있지 아니하면 그땐 가차없이 이 절을 폐쇄시키겠다. 알겠는가?"

"내 신분을 확인해 본 연후에 큰소리를 쳐도 늦지 않을 것이다!"

"좋다! 그럼 신원조회가 끝난 뒤에 다시 한번 보자!"

고등계 형사는 뱁새같이 찢어진 눈을 더욱 가늘게 뜨고는 용성스님을 노려보더니 어깨를 으쓱거리며 사라졌다.

용성스님은 별로 걱정하는 기색이 없었으나 정작 겁을 먹고 있는 것은 제자와 신도들이었다. 그도 그럴 것이 고등계 형사들이 대각사 식구들을 한 사람씩 불러내 겁을 준데다가 신도들에게도 은근히 대각사에 나가지 못하도록 압력을 넣었던 것이다.

그중에서도 특히 용성스님에게 사랑채를 내준 바 있었던 가회동 강거사가 가장 호되게 당했다. 고등계 형사는 강거사를 경찰서 취조실로 끌고갔다.

형사는 위협적으로 책상을 탕탕 치면서 강거사에게 소리쳤다.

"아니, 그래 당신은 정신이 있는 거야, 없는 거야? 백용성이가 어떤 인물인지 그것도 모른단 말인가?"

"그야 왜 모르겠습니까? 누구보다도 잘 알고 있습지요."

"그래 백용성이가 대체 어떤 인물인가?"

"아, 그야 덕 높으신 대사님이지요!"

"덕 높으신 대사님?"

"그렇습지요."

고등계 형사는 험악한 얼굴로 소리를 버럭 질렀다.

"정신 똑똑히 차려! 공연히 사건에 연루되어서 콩밥 먹기 전에 정신 똑바로 차리란 말야! 콩밥 먹고 싶어?"

"콩밥을 먹다니요?"

"형무소 맛을 보고 싶냔 말야! 형무소!"

"잘못한 것이 아무것도 없는데 형무소라니요?"

"백용성은 독립운동을 했던 위험인물이요, 요시찰인데 그 자에게 사랑채를 내주고 게다가 요즘에는 그 백용성이가 조직한 대각교에 가입까지 했지 않은가?"

"아, 그 대각교야 부처님 신봉하는 곳이니까 가입을 했습니다만……."

형사는 곤봉으로 책상을 내리치며 소리쳤다.

"이 사람 이거 아직도 뭘 제대로 모르고 있구만! 그 대각교가 뭐하는 조직인 줄 아나?"

고등계 형사가 자신을 당장이라도 내려칠 듯이 눈앞에서 곤봉을 휘두르기 시작하자 강거사는 슬그머니 겁이 나기 시작했다. 사색이 된 강거사의 얼굴이 종잇장처럼 새하얗게 질렸다.

"이 봐! 내 말 안들리나? 대각교가 뭐하는 조직이냐구!"

"부, 부처님을 신봉하는 단체입지요."

"이사람 이거 정말 콩밥 맛을 봐야 정신을 차리겠나! 그 대각교는 불온단체야. 알아? 대각교 행동강령 12개 조문만 보더라도 그걸 모르겠나? 불교단체를 위장한 비밀독립운동 조직임이 틀림없단 말야. 알겠어?"

"그야 저는 잘 모르는 일입니다만……."

"그러니까 모르면 얼씬거리지 말란 말야. 공연히 또 대각사 근처를 얼씬거렸다간 재미없을 줄 알아! 알았나?"

"……."

"알았나?"

"······ 예."

"부처님 신봉하는 것, 그거야 우리가 막을 생각 조금도 없어! 그런데 왜 하필이면 위험인물에다 요시찰인인 백용성이만 찾아가느냔 말야! 많고 많은 사찰 중에 왜 하필이면 대각사엘 가느냐, 이게 수상하단 말이거든! 내 말 무슨 뜻인지 알아들었는가, 앙?"

"······ 예에."

"공연히 감옥살이 하게 되기 전에 백용성 같은 위험인물과는 만나지 않는 게 좋을 거야. 내 말 알겠는가?"

"······ 예에."

"이것 봐랏! 대답소리가 왜 이렇게 작은가? 내 말 알겠는가?"

"아, 예!"

10
소가 비록 풀을 먹지만

　대각운동을 위협시한 조선총독부는 고등계 형사로 하여금 용성
스님의 동태를 철저히 감시토록 하는 한편, 대각사에 출입하는 신
도들과 승려들까지 괴롭히게 하였으니 대각사 신도는 자연히 줄어
들고 조선 승려들의 발길도 뜸해질 수밖에 없었다.

　그렇다고 해서 한번 세운 굳은 뜻을 쉽게 저버리는 용성스님이
아니였다. 용성스님은 대각교의 취지를 이해하고 자신의 일에 동조
할 수 있는 지조있는 조선승려를 찾아 나섰다. 겉으로는 표현하지
않는다 하더라도 뜻맞는 조선승려가 어디엔가는 분명히 있을 거라
고 확신했다.

　용성스님은 평소에 존경해왔던 한 이름난 노승을 찾아갔다. 그
는 일찍이 견성하여 선지식으로 추앙받고 있음에도 겸손하고 청정

한 생활로 후학들의 존경을 받고 있던 스님이었다.

"그러니까, 날더러 그대가 도모하는 일을 도와달라 그런 말씀이신가?"

"그러하옵니다, 스님. 스님께서도 잘 알고 계신 바와 같이 지금 조선불교는 바람 앞에 등불과도 같은 신세가 되었습니다. 여기서 바로잡아 일으켜 세우지 아니하면 조선불교는 영영 그 본래의 모습을 잃게 될 것이요, 결국에는 일본불교와 같이 타락하고 말 것이옵니다."

"그것은 나도 이미 잘 알고 있는 바라네. 왜놈 승려들은 아내를 얻고 고기를 먹으며 술까지 마시고 자식까지 두고 있거늘 그것은 부처님 가르침에 천번 만번 위배되는 것이니 나로서도 찬성치 아니하는 일이네."

"지당하신 말씀이옵니다, 스님."

"허나 자네가 도모하겠다는 또 한 가지 일, 부처님 경전을 조선 글로 번역해서 책을 펴내겠다는 일은 나로서는 찬성할 수 없는 일이네."

"아니 스님! 그럼 언제까지 부처님 경전을 한문의 감옥 속에 가둬두어야 한다는 말씀이시옵니까?"

"한문으로 되어 있는 것이 어째서 감옥이란 말인가?"

"스님! 부처님의 가르침이 아무리 좋아도, 그 가르침이 한문으로만 되어 있어서 일반 백성들이 읽지 못하고 뜻을 모르니 그것은 감옥에 갇혀 있는 것과 무엇이 다르겠사옵니까?"

"허나 부처님 경전이 본디 한문으로 기록되어 전해졌으니 한문으로 읽고 새겨야 그 본뜻을 알 수 있고 묘미가 있는 것이거늘, 그것을 언문으로 풀어 옮기다니! 그리하면 그 본래의 뜻을 그르칠 염려가 있거니와 그 오묘한 맛을 잃게 될 것이니 내가 어찌 찬성할 수 있겠는가?"

"하오나 스님. 갑속에 든 칼이요, 그림 속의 떡이라는 말도 있지 않사옵니까? 백성들이 알지 못하고 백성들이 뜻을 배우지 못하면 그 뜻이 아무리 좋아도 무슨 소용이 있겠습니까?"

"바로 그것이네. 그래서 우리 같은 승려가 필요한 게 아니겠는가? 경전을 언문으로 풀어 놓으면 이런 사람 저런 사람 아무나 읽고 제멋대로 뜻을 새겨 건방이 들게 되면 승려를 존경치 아니하게 될 것이요, 법사와 강사를 우습게 여길 것이니 그 폐단 또한 심해질 터인즉 경전을 언문으로 풀어 옮기는 일은 아니함만 못할 것이네!"

"하오나 스님!"

"더 이상 여러 얘기 더 늘어놓을 것 없네! 경전을 언문으로 옮기는 일은 나는 찬성 못하네!"

그 노승은 용성스님의 말을 좀체로 납득하지 못했다.

조선불교의 청정계율을 지키고 조선불교의 법맥과 종풍을 지켜야 한다고 믿고 있던 조선승려들까지도 불교경전을 조선글로 옮겨 펴내는 것은 반대했으니 용성스님은 답답하기 그지 없었다.

도를 깨우쳤다는 조선승려들의 대다수가 그러했으니 조선불교가 새로운 서구의 세력을 타고 물밀듯이 들어오는 기독교에 자리를 내어주는 것은 어쩌면 당연한 일이 아닌가. 조선불교가 안일한 자세를 가지고 자만하여, 스스로 혁신하지 않는다면 불교의 장래는 암담할 뿐이다.

아, 그러나! 그렇다고 포기해서는 아니된다. 아무도 도와주지 않는다고 포기하고, 누가 그 진정한 뜻을 몰라준다고 한숨만 쉰다면 이 나라 불교의 미래는 과연 그 누가 책임진단 말인가. 먼저 깨달은 사람이 먼저 가는 것이다.

대각사로 돌아온 용성스님은 비장한 각오로 혼자 불교경전을 조선글로 옮기기 시작했다.

시자 동헌은 혹시라도 스님의 몸이 상하기라도 할까 전전긍긍이었다. 이제나 잠드실까, 저제나 잠드실까 수시로 스님의 거처를 살피는 것이었지만 호롱불 아래 길게 뻗은 그림자와 사각사각 하는 책장 넘기는 소리가 모든 것을 말해주고 있었다.

그렇다고 함부로 들어가 참견하였다간 무슨 불호령이 내릴지 모르는 일이 아닌가. 동헌이 한숨을 쉬며 돌아서려는데 멀리서 새벽

닭 우는 소리가 들렸다. 언뜻 방문에 비친 그림자를 바라보았다. 용성스님은 기지개를 켜며 혼자서 중얼거리고 있었다.

"휴우! 벌써 시각이 이렇게 되었는가."

동헌은 이때를 놓치지 않고 스님의 방 앞에 가까이 다가가 조심스런 목소리로 스님을 불렀다.

"스님, 스님!"

"왜 그러시는가?"

곧이어 문이 열리고 용성스님의 초췌한 얼굴이 나타났다. 그 모습을 대하니 시자 동헌의 가슴 한켠이 찡하게 울렸다. 동헌은 울먹이는 목소리로 스님께 간곡하게 여쭈었다.

"스님, 제발 이러시면 안되십니다. 이러시다 병이라도 드시면 어쩌려고 이러십니까?"

"이 일은 마음이 급해서 한시라도 지체할 수가 없네."

"아무리 급하시더라도 이렇게 번번히 밤을 새우시면 아니되십니다."

"내 걱정하지 말고 어서 법당으로 가세. 새벽예불을 드려야 할 시각이네."

"예불은 소승이 올릴 터이니 스님께선 제발 눈 좀 붙이십시오."

그러나 제자의 애절한 호소에도 불구하고 스님은 고개를 흔들었다.

"자네 몸 따로 있고 내 몸 따로 있는 법! 자, 어서 가세! 법당으로!"

이윽고 법당에 도착한 두 사람은 부처님 앞에 촛불을 켜놓고 예불을 올리기 시작했다. 용성스님은 부처님을 우러르며 애끓는 소리로 축원했다.

"부처님! 부처님 경전이 제 아무리 많아 산더미와 같더라도 중생들이 보지 못하고 읽지 못하면 그것은 한낱 종이에 불과하지 않겠습니까? 중국 사람들이 중국글을 쉽게 배우고 쉽게 읽듯이 우리 조선사람들에게는 조선글이 배우기 쉽고 읽기 쉬울 것이니 부처님 경전을 조선글로 풀어 옮기면 조선백성 상중하가 모두 읽고 배우게 될 것이라 서원을 세웠더니 단 한사람도 찬동하는 이가 없고 오히려 비웃고 비방하고 있사옵니다. 허나 경전을 조선글로 풀어 옮기자 함은 부처님 가르침을 널리 펴자 함이요, 조선글을 지키자 함이요, 조선을 길이 보존하자 함이니 반드시 이 일을 성취할 수 있도록 굽어 살펴주시옵소서. 나무 석가모니불, 나무 석가모니불, 나무 시아본사 석가모니불……."

그때였다. 목탁을 치며 정성을 다해 축원을 드리던 용성스님이 돌연 정신을 잃고 법당바닥에 쓰러지고 마는 것이 아닌가.

"아니 스님! 스님! 정신 차리십시오, 스님!"

의식을 잃은 용성스님의 얼굴은 핏기가 싹 가셔 있었다. 당황한 동헌은 공양간으로 달려가 아침공양을 준비하는 노보살을 외쳐 불렀다.

"보살님! 노보살님!"

보살은 젊은 스님이 또 무슨 장난을 하려는 줄 알고 공양간 밖으로 얼굴을 내밀더니 느긋하게 입을 열었다.

"왜 그러시우, 시봉스님?"

"아이고 보살님, 우리 스님이 쓰러지셨습니다!"

"예에?"

노보살은 깜짝 놀라 법당으로 달려갔다.

"아이구 스님! 이러시면 안됩니다. 정신차리십시오, 스님!"

"아유, 보살님! 저 이러고 있을 게 아니라 제가 가서 의원을 불러오겠습니다."

"빨리요, 빨리! 아이구 스님! 스님, 스니임!"

동헌은 쏜살같이 청계천에 있는 천일당 한약방으로 달려가서 자고 있던 의원을 깨워 모셔왔다. 침을 맞고 뜸을 뜨고 그러고도 한참이 지나서야 용성스님은 겨우 정신을 차리게 되었다.

"스님, 이제 좀 정신이 드시는지요?"

스님의 머리맡을 떠나지 않고 지키고 있던 동헌이 조용히 스님을 바라보며 말했다. 동헌의 커다란 눈망울에는 기쁨의 눈물이 그득 들어차 있었다.

용성스님은 물 한사발을 벌컥벌컥 다 마시고는 한숨을 토하며
말했다.

"휴우! 내가 벌써 망녕이 들어서 공연한 소동을 일으켰구먼."

"무슨 말씀이십니까, 스님! 아 그렇게 사나흘씩 꼬박꼬박 밤을
새우시니 병이 나시지 않습니까?"

시자 동헌의 말에 노보살도 고개를 끄덕이며 말했다.

"아이구 그야 어디 이를 말씀이겠습니까? 엄동설한을 감옥소에
서 고생하신데다가 감옥소에서 나오신 뒤로도 어디 하룻들 편히 쉬
신 날이 있었어야지요. 더군다나 잡숫기를 좋을 걸루 잡수시나."

먹는 이야기가 나온 김에 동헌이 큰스님의 눈치를 살피며 넌지
시 입을 열었다.

"저, 아까 한의원이 그러시던데 스님께서 근력을 회복하시려면
좋은 음식을 좀 드시는 게 좋겠다고 그러셨습니다."

노보살도 적당히 장단을 맞추며 말했다.

"저 스님! 약으로 아시구 사골뼈라도 구해다 푹 좀 고아드리면
안될까요? 몸보신하는 데는 그저 뼛국물이 제일이라는데."

"쓸데없는 걱정은 안하셔도 됩니다. 논갈고 밭갈고, 그 힘든 일
을 억척으로 해내는 소가 힘이 좀 셉니까? 그런데 그 소가 무엇을
먹습니까? 그리고 이 세상 짐승 가운데서 가장 덩치가 크고 기운이
센 짐승이 코끼리라는 짐승인데 그 코끼리도 풀만 먹고 산답니다."

"허지만 스님."

동헌이 불만스러운 표정을 지으며 무어라고 한마디 덧붙이려 했으나 용성스님은 시자의 말꼬리를 딱 자르며 단호하게 말했다.

"내 이제 이미 기력을 회복했으니 내 걱정들은 마시고 먹는 음식에 대해서는 명심들 하셔야 하네. 짐승도 육식을 하는 짐승은 성질이 사납고 포악한 법, 호랑이나 사자나 늑대가 다 그러하지 아니하던가. 허나, 풀을 먹고 사는 짐승은 소나 말이나 염소나 토끼나 모두가 성질이 온순하고 마음이 편안하니 착하지 아니하던가. 사람도 육식을 좋아하게 되면 자연 그 성품이 사나워지고 포악하게 되나니, 그래서 육식을 금하라 하신 것이야. 내 말 아시겠는가?"

동헌이 시무룩한 얼굴로 하는 수 없이 대답했다.

"예, 스님. 명심하겠습니다."

그렇게 의식을 잃고 쓰러진 그날 밤에도 용성스님은 붓을 들어 불경의 한 귀절, 한 귀절을 조선글로 옮기고 있었다.

밤이 이슥할 무렵 반갑지 않은 일본 고등계 형사가 불쑥 대각사에 나타났다. 대각사에서 자신을 반기건 말건 아무런 상관이 없다는 듯 제집처럼 절문을 밀치고 들어온 그는 뭐가 그리 좋은지 연신 싱글거리며 스님 앞에 웬 서류 하나를 펼쳐놓고 말했다.

"승적조회 서류가 돌아왔는데 이건 도대체 어떻게 된 노릇인지 설명을 좀 해보실까?"

"왜 이 백용성이는 승려가 아니라는 회신이라도 왔단 말인가?"

"이 승적 조회서류에 의하면 백용성이라는 승려는 하나가 아니라 둘이니 도대체 이게 어떻게 된 노릇이냐 이런 말인데."

"아니, 백용성이가 둘이라니?"

형사는 서류를 손가락으로 가리키며 말했다.

"해인사 승적부에도 백용성이가 승려로 등재되어 있고, 범어사 승적부에도 백용성이가 등재되어 있으니 도대체 어느 게 진짜인가?"

"내 이미 재판을 받을 때 밝혔거니와 십여 년 전까지는 해인사에 있었고 그후에는 동래 범어사에 있었으니 승적부에 올라 있는 것은 당연한 일, 두 곳에 올라 있다고 해서 승려가 아니란 말인가?"

"승적이 확인된 이상 승려의 신분은 인정해 줄 수 있지만, 그 대신 조건이 한 가지 있는데."

"아니 조건이라니?"

"순수한 승려의 신분으로 돌아가서 범어사로 가든지, 해인사로 가든지 산속으로 들어가 주었으면 좋겠는데 그대의 의향은 어떠신가?"

"무엇이라고?"

산속으로 돌아가라니 실로 기가막히는 일이었다. 용성스님은 노한 얼굴로 분연히 말했다.

"불교의 목적은 중생제도에 있으니 이제 불교도 중생들 곁으로 내려와야 하거늘 서양종교의 예배당은 자고 나면 늘어나는데 어찌하여 불교는 산속으로 다시 들어가라 하는가?"

　"독립운동이다 대각운동이다, 수상한 짓을 하니까 그러는 것 아닌가? 그래 이 대각사를 떠나지 않겠단 말이지?"

　"결코 떠날 수 없다!"

　고등계 형사는 어금니를 사려물고는 마지막으로 한마디 내뱉는 것이었다.

　"좋아! 얼마나 견딜 수 있는지 어디 한번 두고 보자!"

11
많이 할수록 좋은 거짓말

용성스님이 경성 한복판 종로 봉익동에 대각사를 다시 세우고 새로운 불교운동을 시작하자 이를 못마땅히 여긴 조선총독부는 신도들이 모이지 못하도록 압력을 넣는 한편 용성스님에게는 경성을 떠나 산속으로 들어갈 것을 계속해서 종용해 왔다.

그러나 용성선사는 몇 번이 됐건 그때마다 이를 단호히 거부하였다. 그러자 조선총독부에서는 정책을 달리하여 이번에는 감투를 미끼로 회유책을 쓰기에 이르렀다. 총독부의 정책이 바뀌자 대각사를 들락거리던 고등계 형사의 태도도 백팔십도로 바뀌었다.

그는 만면에 부드러운 웃음을 지으며 달콤한 목소리로 스님에게 말했다.

"이것보시오, 대사! 대사가 우리 일본에 협조만 해준다면 좋은 길이 얼마든지 많은데 왜 이렇게 고집을 부리는 거요?"

"그대에게는 그대가 가야 할 길이 있고, 나에게는 내가 가야 할 길이 있으니 더 이상 귀찮게 하지 말게나."

용성스님이 그렇게까지 딱 잘라 말하는데도 형사는 얼굴색 하나 변하지 않았다. 그는 여전히 웃는 얼굴로 서류를 펼치며 설득하기 시작했다.

"이걸 자세히 보시오! 이미 11년 전 6월 우리 조선총독부가 사찰령을 선포함으로써 조선불교는 하나가 되지 않았습니까?"

조선총독부가 1911년 6월에 일방적으로 선포했던 사찰령!

그것은 사실상 조선불교를 말살시키려는 일본의 간악한 흉계였다. 조선총독부는 1912년 초에 전국 30본산 주지회의를 소집하였고, 이해 7월에는 친일파 승려인 해인사 주지 이회광이 조선총독부의 승인을 받았다.

그리고 그후 1913년까지는 나머지 각 본산이 차례로 총독부의 승인을 받았으니 이로써 조선불교는 조선선교 양종이라는 그럴 듯한 이름으로 강제 통합되었던 것이다. 실제로 일제는 학승들이 사찰의 강원에서 일본어를 배우고 일본역사를 배우도록 강요하였던 것이다.

그 모든 사실을 훤히 알고 있는 용성스님이 형사 나부랭이의 교묘한 간계에 넘어갈 리가 만무했다.

그러나 조선총독부의 지시를 받은 고등계 형사는 지치지도 않고 계속하여 설득 작전을 폈다. 그는 손가락으로 서류를 짚으며 말을 이었다.

"대사! 자, 보시오! 전국의 사찰들이 다 선교 양종으로 통합되어 총독부의 승인을 받아 잘 해오고 있는데 몇몇 승려들이 따로 떨어져서 임제종이니 선종이니 고집을 부린다고 될 일입니까?"

"그대들 일본은 선교 양종이라는 이름으로 조선불교를 하나로 통합했다 하나, 이것은 사람 하나에 머리가 둘 달린 격이니 이는 조소거리는 될지언정 결코 자랑거리는 되지 못할 것이야!"

"허허. 제발 그러지 마시고 사찰령에 순종하시오! 그렇게만 해준다면 우리 조선총독부도 가만 있지는 않을 것이요. 큼지막한 사찰의 주지자리 하나쯤 내려줄 수도 있다 이런 말입니다."

형사는 한쪽 눈을 찡긋거리며 스님에게 말했다. 일제시대의 고등계 형사들은 하나같이 거머리와도 같아서 한번 달라붙으면 피를 보기 전에는 영 떨어지지 않는 악랄한 존재들이었다.

용성스님은 그 형사의 태도에 동요되기는커녕 그 느물느물함에 매스꺼움을 느낄 뿐이었다. 스님은 치밀어 오르는 분노를 억지로 눌러 참고 덤덤한 목소리로 입을 열었다.

"옛부터 조사님들이 이르시기를 중벼슬은 닭벼슬만도 못하다 하셨으니 감투를 쓰기 위해 중된 자들에게나 그 감투, 많이 씌워주게나."

일이 이렇게 되니 고등계 형사는 은근히 부아가 치밀어서 견딜 수가 없었다.

"아니 이것보시오, 대사! 도대체 해인사 주지도 싫고, 범어사 주지도 싫다 이겁니까?"

"박박 깎은 머리에 감투는 써서 무엇에 쓰겠는가. 그걸 얻어쓰지 못해서 안달이 난 자들도 많다 하거늘 그 자들에게나 실컷 나눠주게나."

용성스님은 이 말을 끝으로 더 이상 고등계 형사를 상대하여 입을 열지 않았다. 하는 수 없이 스님의 방을 나와버린 형사는 문밖에서 한동안을 씨근대다가 혼자서 중얼거렸다.

"나 이거야 원! 바늘로 찔러도 피 한방울 안 나올 늙은일세. 에잇!"

고등계 형사는 치밀어 오르는 화를 달랠 길 없어 공연히 발길질을 해대다가 기어코 돌부리를 찼다.

"앗! 아얏!"

그는 돌부리에 부딪친 오른발을 붙들고 끙끙거리다가 욕지거리를 내뱉았다.

"에잇, 빌어먹을 영감탱이! 되는 일이 없네."

다음날 아침 일찍 최상궁이 용성스님을 찾아왔다. 스님은 마침

새벽예불을 끝내고 방으로 들어온 길이었다.

"최상궁 문안드리옵니다, 스님."

"어서 오시게. 그래 그동안 마마께서도 평안하옵신가?"

"예, 평안하시옵니다."

"오늘은 법회도 없는 날이거든 어쩐 일이신가?"

"스님이 편찮으셨다 하기에 그래서 왔사옵니다. 병환은 좀 어떠신지요?"

"나야 보시다시피 이렇게 멀쩡하지 아니한가?"

용성스님은 일부러 환하게 웃으며 안심을 시키는 것이었으나 최상궁의 얼굴은 근심이 가득했다.

"아니옵니다, 스님. 뵙기에 많이 수척해지신 것 같사옵니다. 조신을 좀 잘하셔야지요."

"허허. 내 걱정은 안하셔도 괜찮으니 염려놓으시게."

"정말 괜찮으시옵니까, 스님?"

"아, 이렇게 멀쩡하지 않은가?"

"하오면 스님. 원행을 하셔도 괜찮으실지요?"

"원행이라니?"

"만주에 다녀오실 수 있으시겠습니까?"

"만주?"

최상궁은 혹여 밖에서 누가 엿들을세라 손가락을 입에 대어 보였다. 스님도 고개를 끄덕이며 말소리를 낮추어 다시 물었다.

"만주라니?"

"스님. 다른 사람이 알면 큰일날 일이옵니다."

"그래 대체 무슨 말씀이신가?"

"스님께서도 알고 계시다시피 마마께옵서는 그동안 상해에 있는 임시정부와 연락을 하시려다가 두 번이나 발각이 되었지 않습니까?"

"그래 그건 나도 알고 있네."

"마마께서는 이젠 누구를 믿을 수가 없으니 스님께서 방책을 알아보아 주십사 하는 분부이시옵니다."

"임시정부와 연락할 수 있는 방책 말이신가?"

"그러하옵니다. 스님의 신분이시니 만주로 이민간 조선사람들에게 포교를 하러 가신다 하면 의심을 하지는 않을 것 아니겠습니까?"

"그야 그렇겠지."

"임시정부에서는 독립군까지 조직했다고 하던데 그것도 사실이옵니까?"

"사실이네. 그러나 맨주먹 뿐이라 어려움이 많다고 들었네."

"그러하옵시면 마마께옵서 스님께 시주금을 내놓으시고, 스님께선 그 시주금을……."

"무슨 말씀이신지 잘 알겠네. 내 속히 방책을 세울 터인즉 그리 알고 오늘은 이만 돌아가시게."

최상궁이 대각사를 떠난 뒤 용성선사는 곧바로 시자를 불렀다.

"부르셨습니까, 스님?"

"음, 그래. 자네는 곧 의발을 갖추고 삿갓을 눌러쓴 뒤 절을 나가서 종로통을 한바퀴 돌고 있게나."

난데없이 삿갓을 눌러쓰고 종로통을 한바퀴 돌고 있으라니, 아무것도 모르는 동헌으로서는 눈이 휘둥그래질 수밖에 없었다.

"예에? 아니 스님. 무슨 말씀이신지요?"

"자네가 절을 나서면 고등계 형사나 그 밀정들이 자네 뒤를 따라갈 것인즉 그리 되면 내가 돈화문 쪽으로 해서 긴히 갈 데가 있어서 그러는 것이니 그리 알게."

그제서야 동헌은 스님의 분부가 무슨 뜻인지 알 수 있을 것 같았다. 그는 고개를 크게 끄덕이며 말했다.

"아! 예, 스님. 그러니까 감시하는 놈들을 따돌리라 그런 말씀이시지요?"

"뒤돌아보지 말고 그저 태연하게 한바퀴 천천히 돌아오면 되는 것이야."

"염려마십시요, 스님. 어김없이 해내겠습니다."

시자 동헌은 용성스님이 이르신 대로 의발을 갖추고 삿갓을 눌러쓴 채 주장자까지 처억 짚고서 대각사를 나섰다. 동헌은 망설임 없이 종로통을 향해 천천히 걸어가고 있었다. 그의 뒤를 고등계 형사가 따라붙은 것은 두말 할 필요가 없었다. 영락없는 용성스님으로 보였던 것이다.

고등계 형사는 주장자를 짚어가며 천천히 걸어가는 동헌의 뒤를 은밀히 따라갔다.

그런데 참으로 이상했다. 삿갓을 쓴 용성스님은 그저 종로통을 걸어가기만 할 뿐, 어느 상점에 들어가는 것도 아니요 또 누구를 만나는 것도 아니었다.

동헌은 느긋하게 밤거리 구경을 하면서 종로 사거리까지 걸어가고 있었다.

종로의 명물은 뭐니 뭐니 해도 야시장이었다.

밤마다 종로 3가 단성사 앞에서 종로 사거리까지 흥청거리는 야시가 열렸다. 장사치들은 광목으로 포장을 친 한평 정도 되는 공간에다 등불 하나를 켜놓고서 사람을 끌어모으고 있었다.

시골서 서울구경을 하러 올라온 사람들은 대개 낮에는 창경원에 가서 동물원 구경을 하고, 밤에는 종로에 나와 야시장을 구경하는 것이 보통일 정도였다.

이 야시장에는 없는 물건이 없을 뿐만 아니라 물건 값도 매우 쌌다. 대개 두 가지에 15전, 한 가지에 10전 하는 식으로 팔았으니 특별히 필요하지 않더라도 구경나온 사람들은 싼맛에 사가게 되어 있었다.

게다가 장사치들이 물건을 팔기 위해 제각기 목청껏 외쳐대는 소리가 또하나의 구경거리였다. 그러니 서울사람들은 저녁을 마치고 바람도 쐴 겸 종로에 나와 야시장 구경하는 것을 재미로 삼았다.

야시장의 맨 끄트머리에 유난히 사람들의 발길을 끄는 곳이 있었다. 호기심이 동한 동헌은 사람들의 어깨를 헤치고 그 안을 들여다보았다.

만병통치약 두꺼비 기름을 파는 곳이었는데 차력사가 나와 기운자랑을 하는 모양이었다. 박장대소가 터져나오고 이어 두꺼비 기름 장수는 약의 효험을 실험하기 시작했다.

팔팔 끓은 물을 차력사의 팔뚝에 붓고 나서 거기다 두꺼비기름을 바르는 것이었는데 희한하게도 덴 자국이 감쪽같이 없어지는 것이었다. 박수소리, 발구르는 소리와 함께 요란한 환호성이 울렸다.

동헌은 미소를 머금으며 다시 발길을 돌려 대각사 쪽으로 향했다.

헌데 삿갓 쓴 동헌을 용성선사로 착각하며 계속 미행하여 거기까지 따라왔던 고등계 형사는 점점 이상한 생각이 들었다. 마침내 형사는 어느 상점 앞에서 삿갓 쓴 스님을 불러세웠다.

"대사님, 잠깐 나 좀 보실까요?"

"예에? 저 말씀이십니까?"

이렇게 말하며 돌아선 것은 놀랍게도 용성스님이 아니라 그의 시자 동헌이었다. 참으로 경악할 일이었다. 형사는 떡 벌어진 입을 다물지 못하더니 한참만에야 이렇게 소리쳤다.

"아니 이건 백용성이가 아니라 새끼 중이 아닌가?"

"예에? 아이구! 난 또 누구시라구요! 형사 나으리 아니십니까요?"

동헌이 짐짓 화들짝 놀라며 벌벌 떠는 시늉을 하자 형사는 부쩍 의심이 들었다. 그는 서슬 푸르게 눈을 부라리며 동헌을 윽박지르기 시작했다.

"바른 대로 대라! 너 지금 무슨 짓을 하고 있었지!"

"아이구! 이거 잘못됐습니다. 한번만 봐주십시요!"

"바른 대로만 대면 얼마든지 봐주겠다! 무슨 목적으로 이렇게 차려입고 나를 유인해서 골탕을 먹였는가? 엉?"

"아이구! 나으리, 그게 아닙니다요. 제발 우리 스님한테만 비밀로 해주십시요, 예?"

"뭐라구? 스님한테 비밀로 해달라?"

"예에. 정말이지 스님께서 이 일을 아시면 저는 당장 쫓겨날 겁니다요."

"대체 지금 무슨 소릴 하고 있는 거야, 엉?"

"아 글쎄, 스님께서 주무시는 것 같기에 물래 이 승복을 꺼내 입고 스님 행세 한번 해본다는 게 그만 나으리한테 들키고 말았으니, 제발 부탁입니다요! 우리 스님께는 비밀로 해주십쇼, 예? 부탁입니다요!"

어이가 없어진 고등계 형사는 온몸의 힘이 다 빠져나가는 것 같은 기분이었다. 오랜만에 한 건 잡았다고 쾌재를 불렀더니 이 중 녀석이 하는 말이라니! 형사는 화가 머리끝까지 나서 곤봉을 휘두르며 고함쳤다.

"뭐얏! 원, 이런 덜 떨어진 녀석 같으니라구! 그럼 백용성은 지금 분명히 절 안에서 잠을 자고 있다 그런 말인가?"

"예에. 몸이 편찮으셔서 그런지 주무시고 계셨습니다요."

"거짓말하면 재미없다?"

"아이구 제가 왜 거짓말을 하겠습니까요."

"그럼 한 가지만 더 묻겠다. 아까 보니 궁녀 한 사람이 분명히 다녀가던데 무슨 일로 왔었는가?"

"아 그야 스님께서 편찮으시다고 그러니까 병문안 왔었습죠, 뭐."

"틀림없는가?"

"아, 예. 그러구 가면서 약값 하시라고 돈 몇 푼 내놓고 갔습지요, 네."

"좋다. 그럼 어디 절에 가보자. 네 말이 사실인지 아닌지 직접 확인을 해봐야겠다."

눈으로 직접 확인해야겠다는 형사의 말에 동헌은 눈앞이 아득해졌다. 어찌나 아찔한지 식은땀이 다 흘렀다. 그러나 버틸 수 있는 데까지는 버텨야 했다.

"그, 그, 그러시지요, 뭐. 허, 허지만 제가 이 승복을 몰래 벗어놓을 수 있게는 해주셔야 합니다. 예, 나으리?"

"하하하하······ 백용성이 그렇게도 무서운가?"

"그러문입쇼! 우리 스님께서 이 꼴을 보시기만 하면 몽둥이로 저를 사정없이 패실 겁니다요."

"스님 행세가 그렇게도 하고 싶으냐?"

"맨날 심부름이나 하느라고 제가 언제 이런 걸 입어 봤어야 말이죠."

"좋다! 앞으로 내 말만 잘들으면 진짜 근사한 중을 만들어줄 수도 있다, 알겠나?"

"아, 예. 형사 나으리."

"그럼 또 다음에 보자."

고등계 형사는 시자 동헌의 말을 완전히 믿었는지 구둣발 소리를 내며 멀리 사라져버렸다. 혼자 남은 동헌은 한숨을 내쉬며 중얼거렸다.

"흐유! 거짓말하기도 되게 힘드네. 온몸에 진땀이 다 났잖아?"

동헌이 대각사로 돌아와 보니 그 사이 용성스님은 나가고 없었다. 동헌은 골목 안을 다시 한번 확인하고서는 어둠 속으로 사라졌다.

12

한 쪽박의 물로 큰 화산을 끌 수 있다면

　용성선사는 대각사를 세우고 나서 크게 몇 가지 서원을 세운 바 있었다.

　첫째는 산중불교에서 벗어나 불교를 대중화하기 위해 도심지 포교를 하자 함이요, 둘째는 불교를 대중화하기 위해서 불교경전을 한글화하자 함이요, 셋째는 불교경전의 한글화를 통해서 조선의 글을 보존하고 널리 익혀 조선의 얼을 지키고 독립을 도모하자 함이었다.

　다시 말해서 불교의 중흥을 통해서 조선의 독립과 융창을 보는 것이 용성스님이 가진 단 하나의 꿈이요 희망이었다.

　선사는 우리나라 역경 사상 최초로 화엄경을 순 우리글로 옮겨 열두 권의 책으로 펴내었다. 화엄경을 조선글로 간행하면서 용성선사는 그 서문에 다음과 같이 밝혔다.

　오동나무 잎사귀 하나가 떨어짐을 보고 천하에 가을이 오는 것을 아는 것이니, 세계 인류는 생존을 경쟁하고 경제의 파탄은 극도에 달해가는 시대에 누가 한문 배우기에 뇌를 썩여 가며 세월을 허송하고 공부하리요. 비록 수십 년을 공부할지라도 한문을 다 알고 죽는 자는 없을 것이며 다 통달한다고 할지라도 장래에는 무용의 학문이 될 것이니 무엇에 쓰리요. 현금 철학이나 과학이나 천문학이나 정치학이나 기계학이나 모든 배울 것이 많은 시대에 한문만 가지고 수십 년의 세월을 허비하는 것은 어리석을 뿐만 아니라 또한 문명발달의 장애물만 될 것이라, 이에 조선글로 옮겨 책을 펴내는 뜻이 있음이니.

　이 서문에서도 알 수 있듯이 용성선사는 결코 불교의 교세 확장에만 집착하지 않았다. 거기에는 우리글로 된 불교경전을 통하여 조선글을 익히고 배워 철학, 천문학, 정치학, 기계학 등의 새로운 학문을 배워야 한다는 원대한 나라사랑의 정신이 깃들어 있었다.
　1920년대의 암울했던 식민지 시대.
　용성선사가 펼친 불교대중화 운동은 단순히 불교대중화 운동에 그치는 것이 아니었다. 그것은 곧 조선의 독립운동이었고 민족의 자각운동이었던 것이다.

이때 벌써 용성스님은 불교의식도 우리말로 쉽게 풀어서 진행했는가 하면 법회도 파격적으로 열었다. 물론 스님의 이런 혁신적이고 선구적인 정신을 신도들이 처음부터 쉽게 이해해줄 리는 없었다.

이를 잘알고 있는 용성스님은 어느 날의 법회에서 그런 신도들의 의문을 풀어주는 자리를 가졌다.

"오늘 법회는 여러 대중들과 함께 묻고 대답하고, 묻고 대답하는 가운데 부처님의 가르침을 다같이 배워나가도록 하고자 하니 여러 대중들 가운데 누구든 묻고자 하는 것이 있으면 주저하지 마시고 묻도록 하십시오!"

제일 먼저 최상궁이 일어나 질문을 던졌다.

"스님! 스님께서는 어찌하여 이 대각사 법당에 법상을 만드시지 아니하시는지 그 까닭을 밝혀주시옵소서."

"여러 대중들은 모두가 다 부처님 성품을 지니고 있으니 마음을 밝혀 깨달으면 모두 다 부처님! 그러니 어찌 나와 여러 대중들 사이에 높고 낮음이 있을 수 있겠소이까? 부처님께서는 법상에 오르시지 아니하시고도 자비로운 설법을 누구에게나 어디서나 들려주셨습니다. 불교를 대중화하여 우리 모두 다 나누어 갖자고 하면서 어찌 내가 감히 법상에 올라 거드름을 피울 수 있겠소이까? 여러 대중들은 모두가 다 평등하시니 내가 잘났다, 내가 더 안다, 내가 더 잘산다, 내가 더 못산다 하는 공연한 차별심을 갖지 마시기 바라오."

이번에는 강거사가 일어나 질문했다.

"하오면 대사님! 평소에 제가 궁금하게 여긴 게 한 가지 있사온데 여쭈어 보아도 괜찮을지요."

"궁금하신 게 있으시면 무엇이든지 말씀하시지요. 우리 모두 다 함께 생각을 해보고 배우도록 하십시다. 말씀하십시오."

"사람이 죄를 짓고도 나중에 부처님을 믿고 불공을 열심히 드리면 극락왕생할 수 있는 것인지요?"

"옛날 부처님이 살아계실 때 가미니라는 제자가 그렇게 물었습니다. 부처님이시여! 어떤 사람이 죄를 짓고도 열심히 극락왕생하기를 축원하고 부처님께 불공을 드리면 과연 극락왕생할 수 있겠습니까? 이에 부처님께서는 이렇게 대답하셨습니다. 가미니야. 저 연못에 돌맹이를 던져놓고 떠올라라, 떠올라라 제아무리 축원을 하고 지극정성으로 빌어본들 그 무거운 돌맹이가 물 위로 떠오르겠느냐? 여러 대중들은 과연 어떻게 생각들 하십니까? 연못 속에 던진 돌이 떠올라라, 떠올라라 축원하면 떠오르겠습니까?"

"그야 떠오를 리가 없겠습니다."

강거사의 대답을 들은 용성스님은 미소를 지으며 말했다.

"과연 거사님께서는 지혜로운 대답을 하셨습니다. 무거운 돌맹이는 제 아무리 축원을 하고 불공을 드린들 물 위로 떠오르지 않습니다. 그래서 부처님께서는 극락에 가고 싶거든 극락에 갈 만한 착한 일을 많이 하라 이르셨지, 착한 일은 하지 않고 나한테 잘해보아야 아무 소용이 없다고 하셨습니다."

　"예; 스님."

　"하물며 착한 일은 하지도 않고 악한 일만 저지른 사람이 극락왕생하기를 소원하는 것은 콩을 심지도 아니하고 가을에 콩을 수확하려는 것과 같은 것이니, 이것은 매우 어리석은 생각이라 하겠습니다. 봄에 씨앗을 뿌리고 여름에 김을 부지런히 메고 제때에 물을 주고 제대로 가꾸어야 비로소 가을에 풍성한 수확을 거둘 수 있는 것이니 지옥가고 극락가는 것이나 농사짓는 것이나 이치는 다 똑같은 것! 공부하기를 불공드리듯 하고 농사짓기를 불공드리듯 하고 장사하기를 불공드리듯 하면 그것이 곧 살아서 극락에 가는 것이니 여러 대중들은 무슨 일을 하건 불공드리듯이 해야 할 것이요!"

　"잘 알겠습니다, 스님!"

　강거사는 고개도 들지 못하고 스님께 대답을 올렸다. 한때나마 고등계 형사의 협박에 넘어가 그 앞에서 굴욕적으로 고개를 수그린 생각을 하면 얼굴이 절로 화끈화끈해졌다. 물론 일시방편으로 왜놈의 위협과 공갈에 넘어가주는 척 한 것이었고 그후로도 용성스님에 대한 자신의 태도에는 변함이 없었지만 그때를 생각하면 수치스럽기 한량없었다.

그날 법회가 끝난 후 용성스님은 다른 신도들과 같이 돌아가지 않고 법당 안에서 머뭇거리고 있는 강거사를 보았다. 그는 스님의 눈치를 보며 뭔가 할말이 있는 듯 쭈뼛거리고 있었다.

용성스님은 온화한 미소를 지으며 강거사에게로 다가가 말을 걸었다.

"거사님! 제게 무슨 할 말씀이 있으신지요?"

"저, 그게······ 저."

"편안하게 말씀하시지요, 거사님."

"저, 스님."

"으음. 혹여 지금 하시기 힘든 말씀이시라면 억지로 하시지 말고 나중에 언제라도 말씀하시지요."

"아, 아닙니다, 스님! 저 사실은 제가 며칠 전에 그 왜놈 형사에게 끌려간 적이 있었습니다."

"아니, 저런! 그래 어디 다치신 데는 없으셨습니까?"

"저, 다친 데가 있다면 몸보다는 마음 쪽인 것 같습니다, 스님!"

"아니 마음을 다치셨다니요!"

"그 왜놈 형사가 이 대각사를 하도 불온단체라고 윽박지르는 통에 제가 그만 그 왜놈에게 다시는 이 절에 발을 딛지 않고 스님도 만나지 않겠노라고 약속하고 말았습니다. 그러니 마음을 다친 게 아니고 뭐겠습니까, 스님!"

"으음."

"스, 스님! 용서해 주실런지요?"

눈물이 그렁그렁해진 강거사의 얼굴을 바라보며 용성스님은 조용히 입을 열었다.

"아무 죄도 없는 거사님이 그런 고초를 받게 하다니 용서는 거사님이 아니라 제가 받아야 하겠습니다. 모든 게 다 제 불찰입니다. 거사님! 부디 부덕한 이 늙은중을 용서해 주시겠는지요?"

"아, 아니옵니다, 스님!"

아무도 없는 텅빈 법당 안에서 손을 맞잡은 두 사람은 언제까지고 그런 듯이 서 있었다. 서편으로 기울기 시작한 해가 열려진 창문 사이로 따스한 햇살을 내쏘고 있었다.

용성선사는 불교의 대중화를 몸소 실천한 선각자였다.

불교경전의 한글화는 물론이요, 스님의 설법 또한 매우 파격적으로 느껴질 만큼 꾸밈이 없었고 남녀노소 누구든지 알아듣기가 쉬웠다.

그런가 하면 용성스님은 우리나라 불교역사상 최초로 찬불가를 작사 작곡하였다. 특히 스님은 대각사에 풍금을 들여놓고 노래를 통해 불교를 전파했다.

이때 용성선사가 지은 찬불가 중에 다음과 같은 가사가 있다.

　티끌 속 모든 세계 황국을 건설하고
　만국의 육백조공 차례로 받노메라
　보배궁전에 높이 앉아 강토를 굽어볼 때
　무변한 허공도 바다의 거품이네
　우리들 몸과 입과 마음을 청정케 하여서
　거룩하신 부처님의 법신을 찬양합시다.

　해상에 지은 집이 내외가 분명하니
　연이어 오고가기 얼마나 분주턴가
　한갈래 예전길은 평탄도 하지만은
　습관을 못잊어서 두 길로 닿노메라
　우리들 몸과 입과 마음을 청정케 하여서
　거룩하신 부처님의 보신을 찬양합시다.

　은한에 걸린 달에 둥금도 둥글세라
　광명을 널리 놓아 대천에 가득 찼네
　물마다 비치는 곳 그림자가 분명치만
　청천에 저 달이야 진적이 없노메라

우리들 몸과 입과 마음을 청정케 하여서
거룩하신 부처님의 화신을 찬양합시다.

　3절로 된 이 찬불가의 가사와 악보는 동국대 한보광 교수에 의
해 발견 수집되어 현재까지 보존되어 있다. 또한 그 당시 대각사
에서 사용하던 풍금은 지금 경기도 수원시에 있는 포교당에 보관
되어 있다.
　손수 찬불가를 짓고 그 노래를 대중들에게 전파하기 위해 풍금
을 들여놓은 사실만으로도 우리는 용성선사가 불교의 현대화에 과
연 얼마나 앞섰던가를 짐작할 수 있겠다.
　용성선사가 노랫말을 지어 만든 찬불가는 위에 예시한 것 말고
도 여러 가지가 있다. 〈신불가〉도 있고 부모님의 은혜를 기리는
〈부모은중경〉을 열가지 노래로 만든 것이 있으니 용성선사야말로
우리말 찬불가의 효시라고 하겠다.
　그러나 그것은 지금 생각이고 1920년대 당시에는 이 찬불가를
비웃는 사람이 너무나 많았다고 하니 실로 격세지감을 느끼게 한
다. 그들은 감히 용성스님 앞에서는 말하지 못하고 뒤에서 손가락
질을 하며 스님의 찬불가를 비난하였다.
　한번은 동헌도 더 이상 참지 못하고 용성스님께 여쭈어 보았다.
　"스님, 말씀드리기 죄송하옵니다만."

"무슨 애기신가?"

"저 법당에서 창가를 부르는 것 말입니다요."

"그래. 그게 어떻다는 얘기인고?"

"다들 킥킥거리면서 우습다고 그러하옵니다."

"부처님 찬양하는 노래를 부르는 것이 우습다구?"

"예, 스님. 예배당에서나 창가를 부르는 것이지 엄숙한 불교법당에서 무슨 창가를 부르느냐고들 그러는 것 같습니다."

"허지만 그런 소리를 하는 사람들이 노래라는 것을 잘 몰라서 하는 소리일세. 노래를 함께 부르면 여러 사람의 마음을 하나로 만들어주고, 신심과 환희심을 불러일으키고, 노래를 부르면서 마음이 청정해지니 우리 불교는 더욱 더 많은 불교노래를 만들어 부르도록 해야 할 것이야."

"허지만 스님! 법당에서 창가를 부르는 것은 아무래도 부처님께 불경스런 짓이 아니냐는 그런 말도 있는 것 같습니다."

"허허 …… 이런 답답한 소리를 다 들어 보겠는가? 맑고 고운 음성으로 정성을 기울여 들려 드리는 우리들의 음성공양이 어째서 부처님께 불경스럽다는 것인가? 부처님도 듣기에 매우 흡족해 하실 것이니 그리 알고 열심히 부르도록 더욱 잘 가르쳐야 할 것이네. 내 말 아시겠는가?"

"예에."

"두고 보면 알 일이네만 찬불가를 많이 부르면 많이 부르게 될수록 그만큼 불교는 발전하게 될 것이니 이 점 각별히 명심해야 할 것이야. 아시겠는가?"

"예, 스님."

"누가 뭐라고 하든 나는 찬불가를 더 많이 만들고, 더 많이 부르도록 가르칠 작정이니 그렇게 알게."

"예, 스님. 잘 알겠사옵니다."

용성스님은 그 뒤에도 사람들의 손가락질에도 아랑곳하지 않고 많은 노래를 작사 작곡하였다. 64세 되던 무렵인 1927년에는 손수 법당에서 풍금을 치면서 열성적으로 현대적인 불교음악을 보급하였다. 용성스님은 불교 포교에 있어서 차지하는 음악의 중요성을 깊이 인식했던 최초의 스님이었다.

찬불가 뿐만 아니라 어린이들을 대상으로 한 포교의 시급함을 느낀 용성스님은 일요일마다 어린이 불교학교를 열었다. 스님은 이 일요학교에서 음악과 무용 등 발표회를 가져 모든 사람들의 관심을 촉구하기도 했다.

또한 용성스님은 부인들에게 참선을 지도하기 위해 부인선원을 개설하였다. 참선이란 말이 일반대중에게 알려지기 시작한 것은 바로 이때부터다.

당시 지방에는 선종본산이 있었으나 도회지에서는 포교당의 형식으로나마 대중적으로 참선의 중요성을 알리는 작업이 필요하다고 생각했던 것이다. 청정한 수도장은 산간에 두고 선종의 포교당은 각 도회에 두어 포교에 전력을 다해야 한다는 것이 용성스님의 평소 소망이었다. 스님은 사방에서 법회가 있을 때마다 달려가 법문을 하고 강연을 하는 등 포교의 현대화를 위해 온갖 힘을 다하였다.

용성스님은 어디에서든 불법을 쉽게 배우게 해야 한다고 주장하였다. 산업선교와 순회포교가 바로 그 방책이었다. 이의 실현을 위해 스님은 민중을 위한 선회(禪會)를 열었고, 대중교화를 위해 7일간 법회를 연달아 개최하기도 했으며 화엄경을 비롯한 경전 강의회도 개최하여 누구나 모여 불법을 공부하고 깨우치게 하였다.

또한 용성스님은 제자들의 지도에도 엄격하기 그지없었다.

스님이 대각교당에 부인선원을 개설했을 때의 일이었다. 부인들에게 참선지도를 하고 있는데 스님의 제자 하나가 선방으로 불쑥 들어와 소리쳤다.

"저 계동 보살님, 댁에서 누가 찾아왔는데요!"

계동 보살이라는 한 부인은 전갈을 받자 부랴부랴 밖으로 나갔다. 그러나 그 제자의 커다란 목소리에 다른 보살들까지 어리둥절해진 얼굴로 제자를 바라보았다.

이를 지켜본 스님은 불같이 화가 나서 제자를 따로 불러다가 호통을 쳤다.

"이 사람, 자네 눈에는 내가 참선지도를 하고 있는 게 보이지도 않는단 말인가! 일반 대중들을 상대로 설법이나 강연을 하는 자리도 아니거늘 참선하는 보살을 어찌 허락도 없이 함부로 불러댄단 말인가?"

"자, 잘못되었습니다. 용서해주십시오, 스님!"

"또한 자네는 출가하여 도를 닦는 수행납자의 몸! 설사 급한 일이 있더라도 사람을 시켜서 조용히 처리할 일이지, 어찌 아녀자들만 있는 부인선원에 함부로 드나든단 말이신가! 자네는 우리 대각교 설립의 뜻이 바로 부패해가는 조선불교의 전통 율맥을 지켜나가는 데 있다는 것을 모른단 말인가?"

"죄, 죄송하옵니다, 스님!"

용성스님 문하에 든지 얼마 되지 않은 그 제자는 스승의 호통에 그만 어찌할 바를 모르고 울음을 터뜨리고 말았다.

이때 스승의 호령소리를 방 안에서 들으며 안절부절하던 시자 동헌이 번개처럼 달려나와 스님 앞에 무릎을 꿇었다.

"스님! 소승이 제대로 일러주지 못한 탓이오니 잘못은 모두 제게 있사옵니다. 저를 나무라 주십시오."

"자네는 이 사람을 데리고 가서 잘 타이르고 다시는 이런 일이 없도록 하시게. 아시겠는가?"

"예, 스님. 명심하겠습니다."

이토록 제자의 지도에 엄격했던 용성스님의 마음 한켠에는 일부 승려들의 해이해진 행동에 의해 한국불교의 전통적인 청정교단이 무너져가는 데 대한 우려가 크게 자리하고 있었다. 그것은 또한 자신이 감옥에 있는 동안 대각사를 팔아먹고 도망친 제자들에 대한 기억이 오래도록 스님의 가슴에 남아 있었기 때문이기도 했다.

아무튼 낮으로는 각종 대중법회와 제자지도를 하는 한편, 밤으로는 경전을 조선글로 번역하는 일에 매달렸으니 양적으로만 따지더라도 어지간한 젊은이의 체력으로도 감당하지 못할 일들이었다. 하물며 한 가지 일을 하더라도 완벽을 추구하는 것이 스님의 성격임에야!

보다 못한 최상궁이 용성스님을 찾아와 활동을 줄일 것을 간곡하게 청했다.

"스님! 대체 어떻게 감당하시려고 이렇게 자꾸 일을 벌이시옵니까?"

"벌이고 싶어서 벌이는 게 아니요. 마땅히 해야 할 일이니 시작하는 것일 뿐! 아이들을 위해서 불교학교를 개설하지 아니하면 장차 이 나라 불교는 어찌 되겠소? 그나마 할머니 어머니들이 명맥을 이어온 불교이거늘 아이들에게 전해주지 아니하면 이 나라 불교의 장래는 실로 암담할 것이니 그래서 시작한 것이오."

"부인선원은 또 어찌 하시려구요?"

"그동안 참선은 출가승려들의 전유물처럼 되어왔거니와 마음을 닦고 마음을 깨우치는 데는 참선보다 더 좋은 공부가 없으니 우선 대각사에 나오는 부인네들에게만이라도 이 미묘한 참선공부를 통해서 지혜의 눈을 뜨게 할 생각인 게요."

"스님의 깊은 뜻은 백번 감사하옵니다만 불경을 우리글로 옮기시랴, 법회 여시랴, 아이들 가르치시랴, 부인들 참선 가르치시랴, 그걸 다 어떻게 혼자 감당하시겠단 말씀이시옵니까?"

"열 가지 백 가지라도 해야 할일은 해야 하는 법! 미루다 보면 시기를 놓치는 것이니 그리 아시고 도와주셔야겠소."

용성스님에게 여태까지 벌인 일을 추스리는 것은 사실 큰 문제가 아니었다. 그보다는 오히려 더 많은 일을 하지 못하는 게 안타까울 뿐이었다. 대중교화의 뜻은 광대하나 힘이 부족함을 뼈저리게 느끼는 것이었다.

스님의 서원(誓願)은 지장보살의 원력과 같이 모든 중생을 무명(無明)에서 건져내는 것이었다. 그러나 실상은 대각사 하나를 통한 교화에 불과하니 아쉬울 뿐이었다.

"흐음! 이 정도로는 큰 화산의 불을 한 쪽박의 물로 끄려는 것과 같이 모든 면에서 아쉽고 부족할 뿐이오."

그러나 최상궁은 의미심장한 눈빛으로 스님을 바라보며 나지막히 말했다.

"스님! 그러나 그런 일들 외에도 스님께는 또 한 가지 큰일이 있으시질 않사옵니까? 독립을 도모하는…….."

용성스님은 고개를 끄덕이며 조용히 말했다.

"그렇지 않아도 조만간 연락이 있을 터이니 그리 아시오."

그때였다. 밖에서 동헌의 다급한 목소리가 들렸다.

"스님! 스님!"

"으음. 왜 그러시는가?"

"웬 이상한 거지가 찾아와서 스님을 꼭 뵙겠다고 합니다."

"무엇이? 이상한 걸인?"

13
이상한 걸인

　이상한 걸인이 스님을 뵙겠다고 찾아왔다는 소리에 용성스님의 얼굴에는 아연히 긴장의 빛이 감돌았다. 용성스님은 동헌에게 재차 확인했다.

　"분명히 걸인이라고 했는가?"

　"예에. 깡통을 두드리면서 구걸을 하기에 돈을 주었는데도 돌아갈 생각을 아니하고 스님을 꼭 뵙겠다고 합니다."

　곁에서 이야기를 듣고 있던 최상궁이 의아한 얼굴로 동헌에게 물었다.

　"아니 무슨 걸인이 스님을 다 뵙겠다고 하신단 말인가?"

　"그러게 말씀입니다요."

　"내가 나가서 만나볼 터인즉 여기들 계시게."

용성스님은 자리를 털고 일어나 급히 문간으로 나갔다. 과연 대
각사 문앞에는 누더기를 걸친 웬 걸인 하나가 깡통을 막대기로 치
면서 굽실거리고 있는 게 아니겠는가. 얼굴은 숯검댕이칠을 한 듯
이 땟국물이 흘렀고, 짚신조차 꿰차지 못한 시커먼 맨발이었다. 스
님은 그 걸인 앞으로 천천히 다가가며 말을 걸었다.

"어쩐 일로 나를 보자 하셨습니까?"

스님이 다가오자 그 걸인은 한껏 목청을 높이며 노래를 흥얼거
리듯 가락을 넣어 말했다.

"아, 밥 한술 얻어가자 이겁죠, 예?"

"밥을 달라구요?"

걸인은 노래를 부르며 막대기로 들고 있던 깡통을 신나게 두들
겨대면서 낮은 목소리로 이렇게 말했다.

"골목 안에 수상한 놈이 있으니 지금은 자세한 말씀을 드릴 수가
없습니다. 어서 밥이나 한 술 얻어가게 해주십시요."

"아니 그럼?"

그러나 걸인은 더 이상 아무 대답없이 일부러 큰소리를 질러대
는 것이었다.

"아, 밥 한 술 줍쇼, 예? 밥 한술 줘요!"

용성스님은 더 이상 아무것도 묻지 않고 공양주 보살을 시켜 걸
인의 깡통에 찬밥을 담아주게 하였다. 밥을 얻은 그 걸인은 모자란

사람처럼 고갯짓을 하며 혼자 흥얼거리면서 골목길을 빠져나갔다.

용성스님이 방으로 돌아오자 동헌이 다가서며 물었다.

"그 걸인 만나보셨습니까, 스님?"

"음. 밥 한술 주어서 돌려보냈네."

최상궁은 별일이 다 있다는 듯이 말했다.

"아니 웬 걸인이길래 스님을 뵙자고 하던가요?"

"웬 걸인이 아니라 그냥 배가 고팠던 모양인데 엽전 한 닢을 주었더니 밥을 달라고 나를 찾았던 모양일세."

용성스님의 말에 동헌은 고개를 갸웃하며 말했다.

"밥을 달라구요? 거 이상하네. 나한테는 분명히 큰스님을 뵙게 해달라고 그랬는데요?"

"밥이 필요한 사람에게 밥을 주지 않고 엽전을 주었으니 자네와는 말이 통하지 않겠다 싶어서 다른 스님을 찾은 게야. 아시겠는가?"

"아, 예."

알 듯 모를 듯한 이야기였지만 동헌은 얼떨결에 그렇게 대답하였다.

최상궁도 재미있다는 듯이 웃으며 입을 열었다.

"원 참, 별스런 걸인도 다 있네요. 아무것이나 주는 대로 얻어갈 것이지 걸인 주제에 큰스님을 다 오라가라 하다니 원!"

그러나 용성스님은 엄한 표정으로 다시 동헌에게 일렀다.

"자네는 걸인을 대할 적에도 예의를 지켜야하는 것이네. 밥이 필요한 사람에게는 밥을 주어야 할 것이요, 목마른 걸인에게는 물을 주어야 하는 것일세. 아시겠는가?"

"예."

"그만 나가서 법당 소제나 제대로 하시게."

"예, 스님."

시자가 자리를 뜨자 같이 일어서려는 최상궁을 용성스님이 다시 불러앉혔다.

"방금 다녀간 걸인 말일세."

"예, 스님."

"상해임시정부에서 보낸 사람 같으니 그리 아시게."

"예에?"

최상궁의 두 눈이 커다랗게 열렸다. 최상궁은 손바닥으로 자신의 입을 막으며 바깥의 동정을 살피다가 작은 소리로 속삭였다.

"아니 스님, 그럼?"

"골목 안에 고등계 형사가 숨어있는 걸 본 모양이야."

"그 걸인이 그렇게 말하던가요?"

"지금은 골목 안에 수상한 자가 있으니 그냥 가겠다, 그러니 어서 밥이나 한술 얻어가게 해달라 그러질 않겠는가?"

"아이구 저런! 그럼 언제 또 오겠다고 그랬는가요, 스님?"

"아니, 그 얘긴 없었네."

"그럼 어떻게 하실 작정이십니까, 스님?"

"저놈들이 눈치채지 않도록 은밀히 다시 올테니 기다리는 수밖에 어쩔 도리가 없질 않은가."

"아, 알겠습니다, 스님. 저에게 하명하실 일이 있으시거든 원서동 보살을 통해 기별을 주시옵소서."

"생일불공 드리러 오라고 전갈이 가거든 그리 알고 오시게."

"알겠습니다, 스님. 각별히 조심하시옵소서."

바로 그날 밤이었다.

용성선사는 문간에 나가 바람을 쏘이는 척하면서 골목 안을 살피고 있었다. 멀리서 개짖는 소리가 들리더니 잠시 후 누군가가 소리도 없이 스님 쪽으로 다가왔다. 스님은 도둑고양이처럼 재빠르게 움직이는 검은 그림자를 가만히 주시하고 있었다.

"스님이십니까?"

착 가라앉은 목소리였다.

"누구시오?"

"낮에 왔던 걸인입니다. 밥 한술 얻어먹고 가려구요."

"들어오시오."

용성스님은 그 걸인을 조심스럽게 데리고 방안으로 들어갔다.

그런데 그 걸인은 방에 앉자마자 흰 이빨을 보이며 싱긋이 웃는 것
이었다.

"스님, 저를 못 알아 보시겠습니까?"

"누구시던고?"

"이렇게 벙거지를 뒤집어쓰고 숯검정을 칠했으니 알아보실 리가
없지요."

"그러고 보니 듣던 음성 같으신데?"

"서대문 형무소에서 한달 동안 함께 갇혀 있다 이감된 송이올습
니다, 스님."

"아니! 그럼 그대가 송동지란 말씀이신가?"

"그렇습니다, 스님."

"아니 그럼 그동안 어디 계셨는가?"

"출옥하자마자 만주를 거쳐 상해에 가 있었습니다."

"상해에?"

"예."

걸인은 누더기 옷 속에서 나달나달하게 닳아빠진 종이 한 장을
스님 앞에 꺼내 들었다.

"스님! 이걸 기억하시겠습니까? 감옥에서 스님께서 써주신 육자
진언 옴마니반메훔입니다."

"아니 그걸 아직도 몸에 지니고 계셨는가?"

"늘 몸에 지니고 부지런히 외우라고 그러시지 않으셨습니까?"

"그래, 그래! 정말 반가우이. 그래 그동안 고생이 막심하셨겠 구먼."

용성스님은 걸인, 아니 송동지의 손을 잡고 반갑게 흔들었다.

"스님! 시간이 없으니 요점만 말씀드리겠습니다. 아시다시피 우 리 동포들이 만주 용정에 쫓겨가 살고 있습니다만 그 참상이 말이 아닙니다. 스님께서 직접 가셔서 살펴보시고 이들을 도울 수 있는 방도를 강구해 주셨으면 합니다. 굶어죽는 동포가 너무도 많다니까 요."

"알겠소. 내가 방도를 강구해 보겠소."

상해임시정부에서 밀파된 연락원으로부터 만주에 이민간 조선인 들의 참상을 구체적으로 전해들은 용성선사는 이때 직접 만주에 갈 것을 마음속 깊이 결심하게 된다.

"이렇게 하면 어떻겠는가?"

"어떻게 하시려구요?"

"내가 만주에 가서 거기다 교당을 하나 세우고 그 교당을 통해 조선백성들을 도와주면서 한양과 상해의 징검다리 노릇을 하면 좋 을 듯한데."

스님의 말을 듣는 송동지의 얼굴에는 기쁨의 빛이 완연했다. 송 은 두 눈을 빛내며 스님에게 말했다.

"그렇게만 해주신다면 상해 임시정부로서는 매우 큰 힘이 될 것입니다."

"그럼 내 일을 그리 추진할 것이니 그리 아시고 잘 연락을 주시게."

"알겠습니다. 앞으로 대사님께 사람을 보낼 적에는 걸인을 가장해서 보낼 것이온즉 깡통을 앞으로 세번씩 흔들면서 구걸을 하거든 우리의 요원인 줄 아셔야 합니다."

"깡통을 앞으로 세번씩 흔든다?"

"그렇습니다."

"그것보다는 이렇게 하시게."

"어떻게 말씀이십니까?"

"우리 절에 와서 구걸을 할 적에는 옴마니반메훔을 반드시 먼저 외우고 구걸하라 하시게."

"옴마니반메훔을요?"

"그래야 다른 보통 걸인과 확연히 구별될 게 아니겠는가."

"아 알겠습니다. 그럼 옴마니반메훔을 반드시 먼저 외우도록 하겠습니다."

걸인으로 가장한 임시정부 요원이 대각사를 다녀간 다음날 아침이었다. 용성선사는 시자 동헌을 불러 은밀히 분부를 내렸다.

"부르셨습니까, 스님?"

스님은 동헌에게 편지 한 통을 내밀며 말했다.

"그래. 잠시 후에 내가 먼저 절문을 나설 터이니 자네는 나를 배웅하는 척 잘 살폈다가 형사나 그 끄나풀이 나를 미행해서 골목을 떠나거든 그때 절을 나서서 이 서찰을 원서동 보살에게 갖다 주어 최상궁에게 전하라 이르시게. 자!"

"이 서찰을 갖다주고 최상궁께 전하라고만 하면 되는 것이옵니까?"

"다른 쓸데없는 소리는 하실 필요없네."

"예, 알겠습니다. 스님."

용성스님이 동헌에게 단단히 이른 뒤 행장을 차려 길을 나섰다. 예상했던 대로 고등계 형사가 스님의 뒤를 따르기 시작했다. 형사가 따라오건 말건 스님은 유유히 지금의 단성사 앞을 지나 종로통 대로에 이르렀다.

한양이 조선왕조의 수도로 정해진 후, 혜정교, 지금의 광화문 사거리에서 창덕궁 동구까지를 운종가라고들 불렀는데 이 운종가의 중심은 바로 말할 것도 없이 종로 사거리에 있는 2층으로 된 보신각 종루였다. 이 종루를 중심으로 한 종로 사거리는 지금도 그렇지만 서울의 이름난 번화가요 상권의 중심지였다.

용성스님은 지물포며 금은방이며 주단포목점 등이 죽 늘어서 있는 종로거리를 천천히 걸어갔다. 이제 막 문을 연 상점들은 번쩍번쩍 하는 신식 상품들을 즐비하게 내걸고 있었다.

딸랑딸랑 종소리를 울리며 전차가 지나가고 있었다. 전차가 개통된 것은 광무 3년, 그러니까 1899년의 일이었지만 언제봐도 신기한 구경거리였다. 용성스님은 잠시 걸음을 멈추어 전차를 타고 내리는 사람들을 지켜보았다.

스님은 이 종로 사거리를 지날 때마다 서울에 처음 올라왔을 때 보았던 정월 대보름날의 희한한 풍습이 생각나곤 했다. 용성스님은 서울에 처음 올라와서 맞은 첫 소망일에 이 거리에서 이상한 광경을 보게 되었다.

당시에는 정월 대보름날을 한문으로는 망일(望日) 즉 달을 바라보는 날이라고 하는데, 그 전날인 열나흗날은 작을 소(小)자를 붙여서 소망일이라고 부르곤 했다. 이 소망일이 되면 종로 사거리에 이상한 광경이 벌어지는 것이었다.

서울 사람들은 제각기 허리춤에다 네 개의 자루를 차고 종로통에 모여들었다. 그리고는 동서남북으로 뻗은 길목마다 돌아가면서 길목의 흙을 한 삽씩 퍼서 자루에 담는 것이다.

사람마다 와서는 냅다 흙을 퍼가니 종로 거리는 순식간에 볼썽사나워졌다. 여기저기 움푹움푹 패이고 길이 엉망진창이 되어갔다.

이 모습을 본 용성스님은 깜짝 놀라 그중 한 사람을 붙들고 물었다.

"아니 이게 무슨 일이신지요! 길을 다 망가뜨려 놓고 왜 다들 이 흙을 퍼가는 겁니까?"

그러나 그 사람은 오히려 스님을 이상하다는 듯이 흘겨보더니 휑하니 가버리는 것이었다.

"허허! 이게 다 무슨 일인고? 멀쩡한 길을 이렇게 만들어 놓다니! 쯧쯧!"

스님이 혀를 차며 하릴없이 돌아서려는데 옆에 있던 사내 하나가 다가와 웃으며 말을 걸었다.

"놔두세요, 스님! 저희들도 어쩔 수가 없습니다."

"아니 어쩔 수가 없다니요!"

"저는 한성부 관원인데요. 우리들이 나와서 제발 삽으로 파가지 말고 한주먹씩만 가져가라고 아무리 계몽을 해도 소용이 없습니다. 이제 망일이 지나면 수레로 흙을 날라다 이 웅덩이들을 메울 생각을 하니 아유! 생각만 해도 끔찍하네요!"

"허허. 나는 도통 무슨 소린지 잘 모르겠소이다. 삽으로 파가는 사람은 뭐고, 한주먹씩만 가져가라고 하는 사람은 또 뭐고? 아니 이 흙이 금덩이라도 된단 말인가!"

"하하하! 맞습니다. 이게 바로 금덩어리지요! 하하하하!"

사내는 시원스레 껄껄 웃더니 이야기를 시작했다.

종로 거리는 우리나라 상업의 중심지였다. 또한 이 종로 거리는 돈많은 사람들이 돈을 벌기 위해서 큰 상점을 짓고 상업을 일으킨 본고장이기도 했다. 옛날에야 상업이라고 해봤자 보부상이나 육의전 등의 전근대적인 상품매매가 고작이었지만 서양산업의 물결이 밀려들어 오면서 대자본을 바탕으로 한 대형상점이 출현하기 시작했다.

그러자 부자가 되고 싶은 서민들의 욕심이 웃지 못할 미신을 만들어낸 것이다. 언제부터인가 서울 사람들은 나라 안의 돈많은 사람들이라면 한번쯤은 다 밟고 지나갔을 종로 거리의 흙을 자기집에 뿌려서 재운(財運)을 기원하게 되었다고 한다.

"아니 그럼 이 종로 거리의 흙을 퍼가서 자기집에 뿌린단 말이신가?"

"예. 집으로 돌아가서는 제각기 허리에 차고 온 자루에 담긴 흙을 꺼내가지고는 동서남북으로 휙휙 뿌리는 겁니다. 그것도 다 방식이 있어요. 동쪽에 뿌릴 때는 금 나와라! 금 나와라! 그리고 서쪽에 뿌릴 때는 은 나와라 그리고 남쪽에는 구리 나와라 북쪽에는 쇠 나와라 하고 외친답니다. 하하하하!"

"허어. 그럴 수가!"

"뭐, 부자되고 싶은 욕심에들 그러는 거니까 나무랄 수만은 없지요. 저도 한번 해봤는 걸요? 하하하하."

그 관원은 호탕하게 웃으며 스님에게 꾸벅 인사를 하고는 사라져갔다. 물론 그의 말처럼 재운을 기원하는 서민들의 욕망을 탓할 수야 없는 일이었지만 종로 사거리를 걸을 때마다 스님은 두고두고 그때의 그 씁쓸했던 느낌을 되새기게 되는 것이었다.

　잠시 상념에 잠겨있던 용성스님은 청계천 수표교 쪽으로 발길을 돌렸다. 그런데 이때 스님의 뒤를 밟던 일본인 고등계 형사가 우연히 만난 것처럼 다가와 아는 체를 하는 것이었다. 그 얕은 꾀에 넘어갈 스님이 아니었다.

　"아이구, 이거 대사님! 어디로 행차하시는 길이십니까?"

　"왜, 이 백용성이가 또 명월관에라도 가서 독립만세를 부를까봐 걱정인가?"

　"아이구! 아, 아닙니다. 모처럼 행차를 하시니 제가 인력거라도 불러드릴까 해서 그렇지요."

　"아직은 내 다리가 썩 튼튼한 편이니 걸어서 가겠네."

　"그렇다면 제가 호위를 해드리겠습니다. 아직도 경성관내에는 승려들에게 돌맹이를 던지는 자들이 있다고 합니다."

　"일본승려 흉내를 내느라고 게다짝을 끌고 다니는 중들이 있으니 그래서 돌맹이를 던지는 것이네."

　용성선사는 고등계 형사가 따라오거나 말거나 상관치 아니한 채 휘적휘적 길을 건너 청계천 수표교 밑으로 내려섰다.

　청계천이라는 이름은 일제 초기에 서울의 지명을 개칭할 때 붙여진 이름으로 일반인들은 다들 열 개(開)자 내 천(川)자를 써서 개천이라고들 불렀다.

지금으로부터 70년 전인 이 당시만 해도 청계천에는 백악산, 인왕산, 목멱산 등의 여러 골짜기에서 흘러내린 맑은 물이 사시사철 흐르고 있었다. 그 맑고 투명한 물에는 고기떼들이 헤엄쳐다니고 있었으니 지금의 실정을 비교할 때 참으로 격세지감을 느끼게 한다.

용성스님은 청계천 물가로 내려서자마자 소매를 걷어 올리더니 두 손으로 맑은 물을 퍼올려 얼굴을 씻기 시작했다.

"어이구 시원하다! 어이구 시원해!"

스님을 따라 물가로 내려온 일본인 고등계 형사는 맑은 물속을 헤엄치는 고기떼를 보더니 입맛을 쩝쩝 다시며 소리쳤다.

"아니 대사님! 그 물속에 그거, 고기떼 아닙니까?"

"고기떼? 으음, 그놈들 참 떼거리로 올라왔군 그래."

"야! 저 고기떼 저거, 그물로 모조리 잡아다가 기름에 튀겨 먹으면 아주 맛있겠는데요?"

용성스님은 혀를 끌끌 차며 형사에게 말했다.

"고기떼를 보고 겨우 한다는 생각이 기름에 튀겨 먹을 생각이란 말인가?"

"아유, 스님도! 아, 펄펄 끓는 기름에 튀겨 먹으면 얼마나 맛있는지 아십니까?"

"아귀의 눈에는 세상만물이 다 잡아먹을 것으로만 보이는 법. 그대도 극락 가기는 이미 틀린 사람일세!"

"무, 무엇이라구요!"

"그대도 이리로 내려와서 이 맑은 청계천 물로 두 눈을 제대로 씻고 맑은 눈으로 세상을 바로 보게나."

"무슨 말씀입니까, 대사님? 내 눈은 아주 좋습니다. 안경이 필요 없을 만큼 아주 좋다구요."

"허긴 그렇게 눈이 좋으니 독립단원들을 많이 체포했겠지."

"알아주시니 감사합니다. 대사님도 내 시력을 얕보셨다간 큰코 다치실 겁니다, 아시겠습니까? 아하하하."

일본 고등계 형사의 눈초리는 과연 매서운 데가 있었다. 이 무렵 국내에 잠입했던 수많은 독립단원들이 이들 일본인 고등계 형사들의 불심검문에 걸려 체포되는 일이 무척이나 많았으니 말이다.

그런데 바로 그 다음날의 일이었다.

용성스님으로부터 생일 불공을 드리러 와달라는 전갈을 받은 최상궁이 부랴부랴 짐꾼에게 쌀을 한 가마 짊어지워 가지고 대각사로 오고 있었다. 그런데 최상궁과 짐꾼이 대각사에 거의 다다랐을 때 등 뒤에서 날카로운 사내의 목소리가 들려왔다.

"잠깐만! 거기 서시오!"

“아이구머니나! 아, 누군데 이러세요?”

“종로경찰서 고등계 형사요.!”

“고등계 형사?”

고등계 형사라고 신분을 밝힌 그 사내는 최상궁 앞에 떡 버티고
서서 짐꾼이 짊어진 쌀가마니를 가리키며 차갑게 말했다.

“조사할 게 있으니 그 가마니 좀 내려놓으실까?”

“아니? 뭐라구요?”

14
쌀가마니에 담긴 사연

일본인 고등계 형사는 무슨 냄새를 맡았는지 대각사로 가는 최 상궁을 불러세우고는 짐꾼이 지고 가던 쌀가마니를 조사하겠다고 나섰다.

최상궁의 눈빛이 순간적으로 흔들렸으나 곧 자세를 가다듬고는 위엄있는 목소리로 말했다.

"대체 무슨 일로 아녀자의 갈길을 막고 희롱을 하는가?"

"이것은 아녀자를 희롱하는 것이 아니라 조사를 하자는 것이 요."

"나는 엄연히 궁인의 신분이거늘 대체 무엇을 조사하겠다는 말 인가?"

"그것은 우리도 이미 다 파악하고 있는 일! 궁인의 신분을 조사

하자는 게 아니라 대각사로 반입되는 물건을 조사하자 함이니 협조
해야 할 것이오. 대체 이 가마니 속에는 무엇이 들었소?"

고등계 형사가 검지손가락으로 쌀가마니를 가리키자 최상궁은
속이 뜨끔했다. 영문도 모르고 불려온 짐꾼은 그저 일본인 형사가
앞을 가로막고 있다는 이유 하나만으로 죄인처럼 고개를 푹 수그리
고 있었다.

최상궁은 턱을 바짝 치켜들고서 언성을 높였다.

"생일 불공을 드리러 가는 길이니 불교를 신봉하는 신도가 공양
미를 가져가는 것도 트집거리란 말인가?"

"공양미라…… 부처님께 바치는 쌀이란 말이오?"

"보면 모르겠는가?"

최상궁이 의외로 세게 나가자 일본인 고등계 형사는 잠시 머뭇
거리면서 최상궁과 쌀가마니를 번갈아 바라보았다. 그는 손바닥으
로 가마니를 위아래로 툭툭 쳐보더니 이윽고 말했다.

"좋소! 우리 일본도 불교를 신봉하는 나라이니 공양미 가져가는
것, 반대 안 합니다. 다만 아시다시피 최근 조선 독립단원들이 폭
탄을 숨겨 들어오는 일이 많기 때문에 그래서 조사한 것이니 이해
하기 바라오."

"그럼 이제 그만 가도 되겠는가?"

"좋소. 가도록 하시오."

형사는 대단한 시혜를 베풀기라도 하는 것처럼 선심쓰듯 말했다. 최상궁이 짐꾼에게 다시 쌀을 지게 하고 몇 발자국 걸었을 때 등 뒤에서 형사의 목소리가 들렸다.

"아, 잠깐!"

"아니, 왜 또 그러는가?"

"대각사에 가시거든 백용성 대사한테 나를 여기서 만났다고 그러시오. 그리고 에 또……."

"또 무엇인가?"

"내가 안부를 여쭙더라고 전해주시오."

고등계 형사는 최상궁 쪽으로 장난스레 경례를 올려부치며 건들건들 골목 밖으로 사라져갔다.

대각사에 당도한 최상궁은 노보살을 불러 다짜고짜 냉수부터 찾았다. 용성스님은 큰 대접에 떠온 냉수를 숨도 안 쉬고 벌컥벌컥 다 마셔버리는 최상궁을 어리둥절한 눈으로 바라보았다.

물 한 대접을 다 들이킨 최상궁이 거칠게 숨을 토하더니 보살에게 물그릇을 내밀었다.

"흐유, 흐유!"

용성스님은 최상궁이 좀 진정될 때를 기다려 입을 열었다.

"아니 대체 왜 이러시는가, 최상궁?"

"말씀도 마십시오. 저 벼락맞아 죽어 마땅할 고등계 형사놈이

……."

"허허! 최상궁. 아무리 못된 고등계 형사일지언정 그렇게 험한
말을 하는 것은 구업을 짓는 일이시네."

"구업을 지을 때 짓더라도."

말을 하다 말고 최상궁이 발끈하며 소리쳤다.

"아니 스님! 그럼 저 고등계 형사놈을 칭찬해야 하오리까?"

좀체로 이렇게 흥분된 모습을 보이지 않던 최상궁이었다. 최상
궁은 귀밑까지 빠알갛게 상기되어 감정을 삭이지 못하고 쌔근거리
고 있었다. 용성스님은 분명 상서롭지 못한 일이 있었을 게라고 짐
작하고 부드럽게 말했다.

"허허. 우선 좀 마음부터 가라앉히시게나. 자! 일단 방으로 들어
가시게."

용성스님은 최상궁을 방에 들여보낸 후 동헌에게 차를 준비하게
하였다. 티끌 하나없이 단정하게 정돈된 방 안에 앉자 최상궁의 마
음이 조금씩 녹아갔다. 잠시 후 시자 동헌이 차를 내왔다.

"자, 좀 드시게."

"예, 스님."

최상궁은 체온처럼 따뜻한 찻잔을 두 손으로 감쌌다. 잠깐 동안
꽁꽁 얼었던 마음이 녹아내리는 듯 스스르 긴장이 풀렸다.

최상궁은 향기로운 차를 한모금 마시고 찻잔을 내려놓았다. 좀

전에 스님께 정제되지 못한 감정을 내보인 일이 그제서야 부끄럽고 미안해지기 시작했다.

"흐유! 아까는 정말 죽는 줄만 알았습니다, 스님."

"허허. 아니 최상궁이 무슨 큰 잘못을 한 게 있다고 죽는 줄 알 았단 말씀이신가?"

"아, 글쎄 그 망할놈의 고등계 형사놈이 저 쌀가마니를 조사하겠 다고 덤비지 뭐겠습니까? 글쎄!"

"아 그럼 쌀가마니를 열어 보여주었으면 될 것 아닌가?"

"예에? 아니 저 쌀가마니를 열어 보여주면 만사 다 끝장나게 요?"

"아니 그건 또 무슨 말씀이신가?"

최상궁은 목소리를 낮추어 스님께 말했다.

"스님! 저 쌀가마니 속에 무엇이 들어있는지 아십니까?"

"아니 그럼, 쌀이 아니고 다른 게 들어있단 말씀이신가?"

"이리 나와 보십시오, 스님."

용성스님은 영문을 모른 채 최상궁을 따라 곳간으로 갔다. 곳 간 입구에는 아까 최상궁을 따라왔던 짐꾼이 부리고 간 쌀가마니 가 그대로 놓여 있었다. 최상궁은 쌀가마니를 가리키며 스님에게 말했다.

"자, 스님이 직접 한번 확인을 해보십시오."

용성스님이 최상궁의 말대로 쌀가마니를 열어보니 그 속에는 보
자기로 싼 커다란 짐꾸러미 하나가 들어 있었다.

"아니 이것은 대체 무엇인고?"

"쉿! 이건 스님방에 가지고 가셔서 은밀히 보셔야 합니다. 자,
누가 보기 전에 어서요!"

최상궁은 짐꾸러미를 재빨리 용성스님에게 건넨 뒤 쌀가마니를
본래 모양대로 묶어놓았다. 용성스님은 보자기로 싼 짐꾸러미를 들
고 최상궁과 함께 다시 방 안으로 들어갔다.

"스님! 풀러보기 전에 미리 말씀드릴 게 있사옵니다."

"무슨 말씀이신가?"

"이 일은 시봉스님한테도 알려서는 아니되는 은밀한 일이옵니
다."

"대체 무슨 일인데 이러시는가?"

"이 보자기 속에는 적지 아니한 돈이 들어 있사옵니다."

"무엇이! 아니 그럼 이게 모두 돈이란 말인가?"

"그러하옵니다, 스님."

그 짐꾸러미 안에 들은 것이 모두 돈이라는 최상궁의 말은 몹시
도 놀라운 것이었다. 용성스님은 이 엄청난 사실 앞에 놀라움을 감
추지 못하고 짐꾸러미를 바라보며 멍하니 앉아 있을 뿐이었다.

"스님! 이 돈은 마마께서 은밀히 내리신 것이오니 조선글 널리

펴내시는 데 쓰셔야 할 것이요, 만주동포들 돕는 데 쓰셔야 할 것이요, 독립운동 하시는 데 ……."

"마마께서 그렇게 이르시던가?"

"아니옵니다, 스님. 마마께서는 이런 데 써라, 저런 데 써라 일체 말씀이 없으셨습니다. 하오나 스님께 이 돈을 시주하면 반드시 조선을 위해 쓰실 것이라 말씀하셨습니다. 자, 보십시요, 스님!"

최상궁은 서둘러 보자기를 풀어헤쳤다. 그 보자기 안에는 헤아릴 수 없이 많은 돈다발이 빼곡히 들어차 있었다. 용성스님은 떨리는 호흡을 가다듬으며 천천히 염주를 굴리기 시작했다.

"나무아미타불 관세음보살!"

"어찌 다른 말씀이 없으십니까, 스님?"

"성은이 망극할 뿐 달리 내가 드릴 말씀이 무엇이 있겠는가? 내 조만간 만주로 떠나겠으니 그렇게 전해주시게."

"조심하셔야 합니다, 스님. 정말 조심하셔야 합니다."

"알았네. 걱정마시게."

정확한 금액은 기록으로 남아 있지 아니하지만 이때 왕실에서 비밀리에 시주한 금액은 상당한 거액이었다.

다음날부터 용성스님은 서둘러 만주행을 준비하기 시작했다. 스님은 우선 시자 동헌을 불러 만주에 가게 되었다는 것을 알리고 몇 가지 심부름을 시켰다.

"부르셨습니까, 스님."

"음. 자네는 아침공양을 마치자마자 큰길에 있는 만물상회에 나가 불상 한 분을 모셔오도록 하게."

"예, 스님. 하온데 크기는 어느 정도로 모셔올까요?"

"앉으신 높이가 석 자는 넘어야 하고, 반드시 속이 텅 빈 불상을 알아보시게."

"속이 텅 빈 불상으로요?"

"반드시 속이 비어 있는 불상을 구해야 하니 그리 아시게."

"예, 스님."

"그리고 만주에 있는 우리 동포들에게 약이 귀해 고생들이 많다고 하니 천일당 약국 김군을 찾아가서 상비약을 빠뜨리지 말고 준비하도록 하시게. 아시겠는가?"

"예, 스님. 잘 알겠습니다."

용성선사가 만주로 가기 위해 따로 불상을 사들이고 약을 사들이고 의복들을 사들여 짐을 꾸리고 있으니 일본인 고등계 형사가 이 일을 모를 리가 없었다.

대각사를 찾아온 형사는 용성스님의 눈치를 살피며 은근슬쩍 떠보는 것이었다.

"대사님께서는 요즘 색다른 일로 바쁘신 것 같던데 대체 무슨 일을 또 꾸미고 있는 것입니까?"

“일을 꾸미다니! 내가 대체 무슨 일을 꾸민단 말인가?”

“법당에는 분명히 부처님이 모셔져 있는데 다른 불상을 또 하나 사들이지 않았습니까?”

“거 눈 한번 참 밝으시네. 아 그야, 그 부처님 모실 법당이 따로 있으니까 모셔온 것이지.”

부처님 모실 법당이 따로 있다는 말에 형사는 눈이 동그래져서 말했다.

“아니 그럼 이 대각사 말고 또 다른 절을 차린단 말이오?”

“내 그대가 하두 귀찮게 하니 그대 보이지 않는 곳으로 멀리 떠날까 하네.”

“호오! 그것 참 들던 중 반가운 소식입니다. 그래 이젠 산속으로 들어가시겠다 이런 말입니까?”

“산속보다도 더 멀리 갈 생각이니 얼마나 기쁘시겠는가?”

“뭐라구요? 산속보다 더 멀리?”

“그렇네.”

형사는 도대체 이 용성이란 스님이 어디로 가려고 하는 것인지 궁금증이 동하기 시작했다.

“어딥니까, 거기가? 제주도로 갑니까?”

“제주도와는 정반대편, 만주로 갈 작정이네.”

“만주? 만주라고 그랬습니까?”

"조선백성들이 수만 명 이민을 갔으니 거기 가서 법당을 차리고 불교를 포교할까 하네."

"하, 그래요? 거기 가서 불교만 할 것입니까?"

"출가한 중이 불교포교 말고 달리 무슨 할일이 있겠는가?"

"만주에 가서 불교만 한다? 정말 불교만 할 생각입니까?"

"아니 그럼 내가 만주에 가서 호떡집이라도 낼 줄 알고 있단 말인가?"

"좋습니다. 이건 마 상부에 보고를 해서 하명을 기다려 보겠습니다만 만주 거기, 아주 골치아픈 뎁니다. 아주 골치 아픈 곳이에요."

"골치아픈 곳이라니?"

"거기도 조선독립군 악질들이 많단 말입니다. 만주 거기서 금년 한해 동안 조선독립군 악질 분자들이 우리 일본군과 교전을 벌인 것만 해도 무려 쉰아홉 건입니다. 그래서 아주 골치아픈 곳이라는 겁니다."

"허면, 이 늙은중이 총이라도 들고 독립군에 들어갈까봐 그래서 걱정인가?"

"대사님이 이 경성을 떠난다면 나야 좀 편해질테니 쌍수를 들고 환영할 일입니다만 아마도 만주 경찰들이 꽤나 골치아파 할 것입니다."

"나 때문에 말인가?"

"아 대사님이야 독립선언 조선인 대표 삼십삼인 가운데 한 사람이니 요시찰인 가운데서도 요시찰인, 어찌 모른 척 할 수 있겠습니까?"

"허허. 그러면 만주에 가서도 융숭한 일본 경찰의 대접을 받게 될 것이다, 그런 말이로군 그래?"

"솔직히 말해서 대사께서는 어디를 가도 감시를 받게 되어 있으니 이 점만은 늘 명심해야 할 것입니다. 아시겠습니까?"

일본인 고등계 형사는 마지막까지 은근히 쐐기를 박는 것이었다.

용성선사가 만주로 떠나기 전날 밤 최상궁이 다시 대각사를 찾아왔다.

"준비는 다 마치셨습니까, 스님?"

"부처님도 나무상자에 넣어 단단히 잘 모셨고, 상비약도 다 준비했고, 만주에 헐벗은 우리 조선동포들이 많다 하기로 의복들을 넉넉히 사서 꾸려놓았으니 이제는 떠날 일만 남은 셈이네."

용성스님은 떠날 일만 남았으니 홀가분하다는 표정이었으나 최상궁은 사뭇 걱정이 되는 모양이었다.

"그 멀고 먼 만주땅까지 어찌 다녀오실 수 있으실지 걱정이옵니다, 스님."

"부처님께서는 나이 여든 살이 되실 때까지 그 넓은 인도땅을 아

니 가신 데가 없을 만큼 걸어서 다니셨거늘 나야 철마를 타고 가고
올 것이거늘 그게 무어 그리 고생이 될 것인가."

"철마를 타셔도 그렇지요. 이야기를 들어보니 그놈의 철마가 어
찌나 시커먼 연기를 많이 내뿜는지 한번 탔다가 내리면 사람도 온
통 시커멓게 되고 눈이고 콧구멍이고 할 것 없이 모두 다 시커멓게
된다고 하던데 정말 괜찮으실지 걱정입니다, 스님."

"허허허. 설마한들 철마가 사람을 숨막히게야 하겠는가?"

이 당시는 조선에 기차가 들어온 지 얼마되지 않을 때였다. 그러
니 대부분의 사람들이 기차라는 것을 말로만 들었지 직접 타보지
못한 사람이 대다수였다. 특히 최상궁처럼 평생을 궁궐생활만 해온
이들로서는 기차라는 신식 물건에 대해 막연한 두려움을 느끼지 않
을 수 없었다.

그 다음날 아침, 용성스님과 시자 동헌은 경성역에서 강거사와
최상궁의 배웅을 받고 있었다. 만주로 가기 위해선 경성역에서 신
의주행 기차를 타야만 했다. 출발 시간이 가까워 오자 기차는 기적
을 울리기 시작했다.

"스님! 기차가 빨리 타라고 소리를 자꾸 지릅니다요."

동헌은 기차를 가리키며 스님에게 큰소리로 말했다. 그는 생전
처음 기차를 타고 멀리 만주땅에 가게 되었다는 것만으로도 몹시
들떠 있었다. 용성스님은 배웅나온 두 사람에게 말했다.

“그래 그래. 자, 거사님도 최상궁도 이제 그만들 들어가시오.”

그러나 두 사람은 돌아갈 생각은 않고 용성스님에게 말했다.

“어서 먼저 오르십시오, 대사님.”

“우리들 걱정일랑 마시고 이제 그만 차에 오르십시오.”

“내 만주에 오래 머물지는 아니할 것이니 그동안 대각사를 잘 부탁합니다.”

강거사는 고개를 끄덕이며 기차에 오르는 스님을 부축했다.

“아무 염려마시고 잘 다녀오십시오, 대사님.”

최상궁은 용성스님을 따라 기차에 오르려는 시자 동헌에게 간곡히 당부했다.

“아무쪼록 스님을 잘 모셔야 하네, 응?”

“그건 염려마십시오.”

기차에 오른 동헌이 손을 흔들자 다시 한번 기적이 울리며 서서히 기차가 움직이기 시작했다. 역에 남은 두 사람은 돌아설 줄을 모르고 기차가 한 개 점으로 사라질 때까지 우두커니 그 자리에 서 있었다.

15

옴마니반메훔 밥 한술 줍쇼

용성스님과 동헌이 탄 기차가 밤낮으로 사흘을 달려 도착한 곳은 만주 용정의 녕봉촌이란 곳이었다. 일본의 식민지 수탈정책으로 땅을 빼앗긴 조선동포들이 빈손으로 이주해온 곳이 바로 이 녕봉촌이라는 곳이었다.

조선동포들이 낯선 만주땅에서 헐벗고 굶주리며 살고 있는 참상은 이루 다 말할 수 없을 지경이었다. 조선땅에서도 헐벗고 굶주리는 모습은 수없이 많이 봐왔지만 이 만주에 이주해온 동포들의 처지에 비하면 아무것도 아니었다.

아무리 일제의 식민지요, 수탈에 시달린다고 해도 적어도 조선땅에는 따뜻한 인정이 있었다. 지나가던 나그네가 하룻밤 유숙을 원하면 거적 깔린 누추한 헛간일지언정 선뜻 내어주는 인심이 있었다. 찬밥 한덩이 더운 물에 말아주는 따뜻한 마음이 있었다.

그러나 이 황량한 만주땅에서는 조선인 하나 죽어간다 해도 누구 하나 눈도 깜짝하지 않았다.

용성스님과 함께 용정땅 이곳 저곳을 둘러보던 동헌이 혀를 내두르며 말했다.

"스님."

"왜 그러시는가?"

"이곳에 도착해서 사흘을 돌아다녀 보았습니다만, 세상에 이게 어디 사람사는 고장이라고 할 수 있겠습니까요?"

"헐벗고 굶주리고 병고에 시달린단 말은 들었지만 이렇게 극심할 줄이야 내 어디 짐작이나 할 수 있었겠는가?"

"어이구! 정말이지 스님! 저 같으면 차라리 고향으로 돌아가서 맨땅에 혀를 박고 죽었으면 죽었지 여기선 도무지 못살겠습니다요! 안그렇습니까요, 스님?"

"그런 소리 하는 게 아닐세. 오죽했으면 정든 땅 고향산천 다 버리고 이역만리 여기까지 쫓겨왔겠는가."

"그야 물론 그렇겠습니다만…….."

"이게 다 우리 조선이 나라를 일본에 빼앗긴 탓이니 그래서 독립을 찾아야 한다는 것이야."

"하오나 스님! 여기다 어떻게 교당을 세우고 포교를 하시겠다

하시는 건지 소승은 도무지 답답할 뿐이옵니다.”

　“헐벗은 중생, 굶주리는 중생, 병고에 시달리는 중생, 이런 중생들에게 입을 것을 주고, 먹을 것을 주고, 약을 주는 것, 이게 바로 출가승려가 해야 할일이 아니겠는가.”

　“허지만 스님! 스님이나 저나 무슨 재주로 이 많은 동포들에게 입을 것을 주고 먹을 것을 주고 약을 줄 수가 있겠습니까? 제가 보기엔 제아무리 여기에 교당을 세워봐야 시줏돈은 땡전 한 닢 들어올 것 같지도 않은데 말씀입니다요.”

　동헌의 말이 채 끝나기도 전에 용성스님의 불호령이 떨어졌다.

　“이 사람! 이미 출가해서 계까지 받았거든, 어디서 그렇게 못된 버릇만 보고 배웠단 말인가?”

　동헌은 노기로 활활 타오르는 스님의 눈을 감히 쳐다보지도 못하고 두려움에 떨면서도 스님께서 왜 그렇게까지 진노하시는지 그 이유를 금방 이해하지 못했다. 겁에 질린 동헌은 말을 더듬으며 스님께 여쭈었다.

　“아, 아니? 왜. 그러십니까요, 스님?”

　“머리 깎고 먹물옷 입었다고 모두 승려가 되는 것은 아니네. 승려다운 짓을 해야 승려인 게야. 나는 삭발염의한 승려가 되었으니 손발 까딱 않고 시주나 받아서 편히 먹고 살겠다, 이런 생각을 지니고 있으면 그것은 참다운 출가자가 아니라 불로소득, 무위도식하려는 거렁뱅이일 뿐, 옛날 중국의 백장선사가 뭐라고 이르셨던가?
일일부작이면 일일불식이니 하루 일하지 아니하면 하루 먹지 말라
이르셨거늘."

　"잘못됐습니다, 스님."

　그제야 스님의 뜻을 알아챈 동헌은 죄스러움에 고개를 푹 수그
렸다. 용성스님은 제자의 한껏 달아오른 볼을 보며 언성을 낮추어
말했다.

　"내가 이곳 용정에 온 것은 여기에 교당을 세워 시줏돈이나 긁어
들이자고 온 것이 아니야. 한양에서 얻을 수 있는 시주, 난 여기다
나누어 주려고 왔네."

　"하오나 스님."

　"무슨 돈으로 교당을 세우고, 무슨 돈으로 도와주겠느냐 그것을
묻고 싶은 게지?"

　"예, 스님. 가져오신 것도 별로 없으시면서."

　사실 만주로 오게 된 경위에 대해 아는 바가 없는 동헌으로서는
스님의 속마음을 알래야 알 수가 없었다. 스님은 동헌의 의중을 이
미 짐작하고 있었다는 듯이 빙그레 미소를 지으며 입을 열었다.

　"부처님이 다 마련해 놓으신 게 있으니 자네도 차차 알게 될 것
이네. 난 여기다 농토를 마련하고 교당을 세워서 우리 동포들이 농
사를 짓게 하고 부처님 시봉을 들도록 할 것이네."

용성스님은 만주 용정에 도착한 지 여드레가 지난 후에야 겨우 경성을 떠날 때 경성역에서 미리 탁송한 짐을 찾을 수가 있었다. 스님은 여관으로 그 큰 짐을 옮기자마자 동헌을 시켜 약꾸러미부터 찾아내게 했다.

　동헌이 천일당 약국에서 사온 약꾸러미를 찾아내 스님께 가져갔다.

　"여기 있습니다, 스님."

　"그래 맞네."

　스님은 종이에 쌓인 약꾸러미를 하나하나 펼쳐보더니 그 중 몇 가지를 꺼내들고 일어서며 말했다.

　"우선 이 약을 급히 전해 줄 곳이 있으니 내 잠깐 나갔다 오겠네. 그 사이 짐들이나 잘 챙겨놓으시게."

　"예, 스님. 안녕히 다녀오십시오."

　용성스님은 몇 가지 약을 챙겨들고 여관을 나섰다.

　넝봉촌 거리에는 닳아빠진 누더기를 걸친 채 길거리를 방황하고 있는 조선 동포들로 가득했다. 길거리에 나앉은 채 채소를 파는 조선아낙네들도 있었다. 스님은 그 가운데서도 제대로 먹지 못해 누렇게 부황든 얼굴로 길거리 모퉁이에 쪼그려 앉아 시레기를 팔고 있는 노파에게 다가갔다.

　언젠가 거리를 걷다가 우연히 보게 된 이 노파의 누렇게 뜬 얼굴이 지금껏 늘 마음에 걸렸던 탓이었다. 노파는 팔리지도 않는 시레기를 앞에 내놓고 초점없는 눈으로 멍하니 거리의 오고가는 사람들을 바라보고 있었다. 무슨 시름에 잠겨 있는지 누군가 자기한테로 다가오고 있는 것도 노파는 전혀 의식하지 못했다.

"저 할머니!"

조용히 불렀는데도 노파는 온몸이 푸르르 떨릴 정도로 놀라는 것이었다. 노파는 무의식 중에 뒷걸음질을 치고 나서야 용성스님을 제대로 바라보았다.

"아이구 깜짝이야! 아유, 예! 이 시레기 사가시게요?"

"아, 아닙니다, 할머니."

노파는 시레기를 사가리라고는 그리 기대하지도 않았었는지 고개를 끄덕이며 용성스님의 행색을 살피더니 갑자기 반색을 하며 말했다.

"아, 아니? 그러구 보니 스님옷을 입으셨는데?"

"예. 그렇습니다, 할머니. 저는 조선땅에서 온 조선중이올습니다."

"아유! 아니 그럼 여기도 조선절이 있단 말씀이시우?"

"이제 곧 생길 겁니다, 할머니. 그런데 할머니께서는 혼자 이 용정땅에 오셨습니까?"

"아이 늙은 것이 무슨 재주로 혼자 여기까지 왔겠수. 아들 며느리에 손주새끼들이 다섯이우."

"아니 그럼 아들 며느리는 무엇을 하시기에 할머니가 이렇게 시
레기 장사를 하고 계십니까?"

"아, 아들 며느리야 저기 저 중국사람 농장에 품팔이 갔지. 이거
라두 팔아서 좁쌀 한 홉이라도 보태야지. 품팔이만 해가지고는 어
림두 없어요. 손주새끼들이 다섯이나 되어서유."

아들, 며느리가 품팔이를 하는데도 노파가 시레기장사를 나서지
않으면 입에 풀칠도 못할 형편이라니 이 만주땅의 실정이 얼마나
참혹하기에 그러는 것일까.

용성스님은 가슴 한자리가 찌르르 해지는 것을 느꼈다. 노파의
부황든 얼굴에는 이미 검버섯이 잔뜩 깔려 있었다.

용성스님은 눈시울이 뜨거워지는 것을 억지로 참으며 노파에게
말했다.

"저, 할머니, 제가 시킨 대로 해야지 이대로는 오래 못 사십니
다."

"예에?"

스님은 가지고 온 돈과 약을 꺼내어 노파 앞에 내밀었다.

"이 돈으로 쌀을 사서 흰죽을 쑤어 잡수시고 그리고 이 약을 꼭
잡수셔야 합니다. 꼭 제 말대로 해야 합니다. 자, 그럼."

"아이구 세상에! 이게 무슨 일이시래유? 스님! 여봐요, 스님!

스니임!"

웬 스님이 돈과 약꾸러미를 놓고 가자 깜짝 놀란 노파는 큰길까지 나와 스님을 불러댔다. 그러나 그 이상한 스님의 자취는 이미 사라지고 없었다.

그 다음날도 또 그 다음날도 용성선사는 용정 시내를 돌아다니면서 준비해간 옷과 약을 가난한 동포들에게 나누어 주었다. 얼마 후 만주 용정땅에는 조선에서 이상한 스님이 와서 아픈 사람에겐 약을 주고, 헐벗은 사람에겐 옷을 준다는 소문이 삽시간에 퍼졌다.

자신에 대한 소문이 널리 퍼지자 스님은 본격적으로 만주땅에서 자리를 잡기 위한 기초적인 일을 시작하였다.

그러나 여관에 남아 있던 동헌은 아침 일찍 나가서 밤늦어야 돌아오는 스님을 도무지 이해할 수가 없었다. 하루종일 돌아다니는 걸 보면 무슨 일을 하기는 하실 모양인데 자신에게는 단순한 심부름 외에는 일절 시키지 않으니 궁금하기 짝이 없었다.

하루는 동헌이 밤늦도록 스님을 기다리다가 그만 잠에 곯아떨어졌는데 그제서야 여관에 돌아온 스님이 혀를 끌끌 차는 것이었다.

"허허, 이사람! 잠을 잘 양이면 제대로 자리를 펴고 잘 것이지!"

"아이구! 아이구, 이거 죄송합니다, 스님. 제가 그만 깜빡했었나 봅니다."

"으음."

동헌은 스님의 옷을 받아 걸다가 문득 이렇게 물었다.

"그런데 스님! 이렇게 밤늦도록 어디를 다녀오셨습니까요?"

"으음. 내 농토를 좀 알아보느라고 늦었네."

"농토라니요?"

"이 근처에 농토를 마련해서 조선 백성들로 하여금 농사를 짓게 하겠다는 말 벌써 잊었단 말인가?"

"아니 스님! 그럼 정말로 여기다 농토를 사신단 말씀이십니까요?"

"아니 이 사람아! 이역만리 만주까지 와서 내가 설익은 소리나 하고 다니는 줄 아는가?"

"전 도무지 무슨 영문이신지 짐작도 못 하겠습니다."

얼떨떨해 하는 동헌의 얼굴을 바라보며 스님은 빙긋이 웃고는 혼잣말처럼 중얼거렸다.

"내일 아침이면 그대도 알게 될테니 그리 알고 잠이나 잘 자두시게."

"내일 아침에는 저도 알게 된다구요?"

그 다음날 아침이었다.

용성스님은 동헌에게 불상을 포장한 상자를 가져오게 했다.

"여기 있습니다요, 스님."

"음, 그래. 그 부처님 모신 상자를 조심해서 뜯도록 하게."

동헌이 조심스러운 손길로 상자를 뜯어내자 용성스님은 부처님의 머리쪽을 가리키며 동헌에게 말했다.

"자! 여기, 여길 좀 붙들어 주시게나."

"예에. 자요! 여기, 이렇게 말씀이십니까?"

"그래, 그래. 그렇게 잘 붙잡고 있어야 하네. 자, 자."

용성스님은 동헌이 부처님의 상반신을 꽉 붙잡고 있는 동안 비어 있는 밑부분에서 커다란 돈뭉치를 꺼내었다. 불상 속에서 엄청난 액수의 돈이 나오자 동헌은 눈이 휘둥그래져서 큰소리로 외치는 것이었다.

"아니 스님, 이게 웬 돈이옵니까?"

"쉿! 소리가 너무 크이! 내 그러기에 속이 빈 불상을 구해오라고 그러지 않았던가?"

"아니 그럼 스님?"

"이 많은 돈을 부처님 속이 아니면 어디에 다 감춰가지고 올 수가 있었겠는가? 자, 이제 됐으니 다시 조심해서 눕히시게."

"예에. 으응!"

"되었네. 자 이제 어서 이 돈을 보따리에 싸서 바랑 속에 넣으시게나."

"예에, 스님."

동헌은 보자기에다 돈다발을 차곡차곡 쌓아놓고 단단히 묶었다.

"잘 싸셨는가?"

"예, 스님!"

"어서 바랑에 넣게!"

"예에."

불상 속에 감쪽같이 숨어있던 돈을 바랑 속에 챙겨넣은 스님은 빙그레 웃으며 동헌에게 말했다.

"이젠 내가 여기다 농토를 사고 교당을 세운다는 말을 믿을 만하겠는가?"

"예에. 헌데 스님, 땅은 어디다 사시는 겁니까?"

"여기서 좀 떨어진 곳이긴 한데 중국인이 농장을 하던 땅이라 토질이 아주 쓸만하다고 그러데. 자, 어서 앞장을 서시게."

"예, 스님!"

용성스님께서 상상도 못했던 거액의 돈을 가지고 있다는 것을 알게 된 동헌은 기운이 나서 의기양양하게 앞장서 걷기 시작했다.

이때 용성스님이 만주땅 용정의 넝봉촌에서 사들인 농토는 70정보였다고 기록되어 있다. 당시의 토지가격이 얼마였는지는 전연 기록이 남아 있지 아니하니 알 길이 없지만, 아무튼 이 사건은 그때까지 입에 풀칠도 못하고 가난하게 살던 조선인들에게 대단한 행운을 가져다 주었다.

만주땅에 70정보의 농토를 구입한 용성스님은 가장 먼저 대각교당을 세우고 부처님을 모셨다. 또 확보한 농토를 경작하여 선농일치를 실천하면서 농사지을 땅이 없어 날품팔이로 연명하고 있던 조선동포들에게 농사를 직접 지을 수 있도록 해주었다.

그러니 무수한 동포들이 너도 나도 대각교당으로 모여들게 되는 것은 당연한 일이었다. 용성스님이 제일 먼저 약과 돈을 건네주었던 시레기 팔던 노파도 이 대각교당을 찾아왔다.

"아이구 스님! 이 늙은것을 알아보시겠습니까?"

"아, 예. 아다마다요! 그래 요즘은 몸이 좀 괜찮으십니까?"

"아이구! 세상에 원 스님이 돈도 주시고 약도 주셨으니 그 덕에 이리 살게 되었구면요."

그러고 보니 노파의 얼굴에 부황기가 많이 가라앉은 것 같았다.

"요즘도 시레기 장사는 잘 되시구요?"

"스님 덕분에 자식 내외도 농사까지 짓게 되었으니 이젠 좀 편한 세상을 살게 되나 봅니다."

용성스님은 자기일처럼 기뻐하며 말했다.

"그동안 많은 고생을 하셨으니 이제 몸 건강히 잘 한번 살으셔야지요."

"세상에 이게 꿈인지 생신지 법당에 부처님까지 모셨다던데 이 늙은것도 참배 한번 할 수 있도록 허락해 주십시오."

"어서 들어가시지요. 부처님께서도 반갑다고 웃으실 겁니다. 허허허허."

용성스님이 만주땅에 농토를 마련하고 대각교당을 설립한 지 한 달쯤 되어서였다. 시자 동헌이 허겁지겁 스님을 부르러 달려왔다.

"스님, 스님!"

"왜 그러시는가?"

"좀 나와보시겠습니까, 스님?"

용성스님이 문을 열고 내다보니 동헌이 대문쪽을 가리키며 숨을 몰아쉬고 있었다.

"왜 그러시는고?"

"이상한 걸인이 찾아왔습니다."

"이상한 걸인이라구?"

"예. 걸인은 걸인이온데 옴마니반메훔을 외우고 있습니다."

"옴마니반메훔을?"

아니! 옴마니반메훔이라면?

용성스님은 만주로 오기 전 송동지와의 약속이 생각났다. 스님이 급히 동헌을 따라 문간으로 나가보니 과연 걸인 한 사람이 대각교당 앞에서 깡통을 앞으로 흔들어 대면서 옴마니반메훔을 외우고 있는 게 아닌가.

"옴마니반메훔! 옴마니반메훔! 밥 한술 줍쇼!"

용성스님은 낮은 목소리로 동헌에게 일렀다.

"자넨 빨리 밖에 나가서 저 걸인을 뒤따라온 자가 없는지 자세히 살펴보고 오게! 어서!"

"아, 알겠습니다, 스님."

동헌이 교당 밖으로 사라지자 용성스님은 천천히 걸인에게로 다가갔다. 스님을 본 걸인은 더욱 신명나게 깡통을 흔들며 흥얼거렸다.

"옴마니반메훔, 옴마니반메훔! 밥 한술 줍쇼!"

"대체 어디서 온 걸인이신지요?"

"백용성 대사님이 분명하시옵니까?"

"그렇소이다만."

이때 바깥 동정을 살피러 나갔던 동헌이 돌아왔다.

"스님! 아무도 없었습니다."

"음, 그럼 저분을 빨리 안으로 모셔 들이게. 기왕에 구걸을 나오셨으니 더운 밥이라도 드시고 가시는 게 어떠시겠습니까?"

용성스님이 정중한 태도로 말하자 걸인은 합장을 하면서 말했다.

"감사합니다, 대사님!"

16
배신자

이날밤 만주 용정의 대각교당을 찾아온 걸인은 스님의 예상대로 상해 임시정부 산하의 독립군 요원이었다. 동헌이 차려준 저녁밥을 달게 비운 걸인은 마침내 용성스님과 단둘이 마주앉게 되었다.

"대사님께 특별한 허락을 받으라는 특명을 받고 왔습니다."

"특별한 허락이라니? 무슨 허락이요?"

"이제 대사님께서도 짐작하시겠지만 우리 조선동포들은 특히 이곳 용정을 중심으로 해서 가장 많이 모여살고 있습니다."

"그래서요?"

"안전한 신분을 얻어 여기 머물면서 독립군을 지원하라는 명령을 받았습니다. 그러니 대사님께서는……."

"내가 어떻게 도와드리면 되겠는지 말씀하시지요."

"저를 삭발출가시켜서 대사님의 제자로 삼아 이 교당에 머물게
허락해 주십사 합니다."

"무, 무엇이라구요? 아니 그러면!"

당연히 자금이나 그밖의 물적 지원을 요청하리라고 예상했던 용
성스님은 삭발출가를 시켜 달라는 말에 적잖이 놀랐다. 걸인을 가
장한 독립군 요원은 고개를 끄덕이며 진지하게 말했다.

"일시적으로 은신하기 위해서가 아니라 장기적인 투쟁을 위해서
이기 때문에 특히 교리라든가 염불이라든가 완벽한 승려의 신분과
자격을 마땅히 갖추어야 하리라고 생각합니다."

그 말은 평생을 승려직에 투신해서라도 조선의 독립에 기여하겠
노라는 의지의 표현에 다름아니었다. 독립군 요원의 결심에 감동을
받은 용성스님은 흔쾌히 그 제의를 수락하였다.

"그렇게 해서 조선을 찾는 일에 도움이 된다면 그렇게 하도록 합
시다."

"감사합니다, 대사님!"

"허나 여기에는 조건이 있습니다."

"조건이라니요?"

"일단 삭발출가하고 계를 받으면 반드시 계율은 지켜야 함이니
그래도 감당하시겠는지?"

그것은 수십 년 동안을 계를 무시하고 종통을 흐트리는 왜색불

교와 싸워온 용성스님의 물러설 수 없는 신념이기도 했다. 또한 조선의 독립을 위해 삭발출가를 결심한 마당에 기왕이면 훌륭한 중이 되어달라는 스님의 강력한 바람이기도 하였다.

독립군 요원은 환하게 미소지으며 말했다.

"그야 대사님의 분부이시라면 그것이 무엇이든 반드시 지키겠습니다."

"좋소! 각오가 그러하시다면 내 기꺼이 계를 내려 제자로 삼겠소이다."

두 사람은 의미있는 눈길을 교환하며 밤늦도록 이야기꽃을 피웠다.

이렇게 해서 만주 용정의 대각교당에서 삭발출가한 독립군 요원 출신의 스님은 바로 훗날 서울 대각사의 2대 주지를 맡게 되는 신소천 스님이었다.

용성스님의 제자로 다시 태어난 독립군 요원 소천은 한동안 불경과 예불 올리는 법, 의식 치르는 법, 염불하는 법 등을 스님에게 배웠다. 얼마간의 시간이 흐르자 용성스님은 만주 용정의 교당살림을 소천에게 맡겨 독립군과 임시정부를 은밀하게 돕도록 했다.

용성스님이 제자 동헌과 함께 만주 용정땅을 밟은 지도 어언 10개월이 가까워지고 있었다. 어느 날 스님은 소천을 불러 말했다.

"내 그동안 여기 와 있느라고 한양을 너무 오랫동안 비웠으니 그만 돌아가 봐야 하겠네."

"하오나 스님! 저 혼자는 이 교당과 농장 관리를 감당할 수가 없사오니 누구 마땅한 사람 하나를 더 보내주셨으면 합니다."

"알겠네. 한양에 당도하거든 내 곧 마땅한 사람을 물색하여 보내줄 터이니 그리 알고 있으시게."

그날 저녁 용성스님은 시자 동헌에게 짐을 꾸리도록 일렀다.

"짐을 꾸리라니요, 스님?"

"만주에 온 지도 벌써 근 10개월이 다 되었거늘 이제 그만 한양에 가야 할 때도 되지 않았는가?"

"예에."

동헌은 스님의 분부에 따라 짐을 다 꾸리고 나서도 미적거리며 잠자리에 들 생각을 하지 않았다.

"나한테 무슨 할말이 있으신가?"

"저, 스님. 한양에는 호, 혼자 가시렵니까요?"

"왜 여기 만주에 남고 싶으신가?"

"아, 아닙니다요, 스님! 그럼 안녕히 주무십시오."

동헌은 얼굴이 빨개지더니 도망치듯 방을 나서는 것이었다.

용성스님과 동헌은 다음날 아침 일찍 경성행 기차에 올랐다.

"스님, 그럼 안녕히 가십시오!"

두 사람이 탄 기차가 기적을 울리자 배웅을 나온 소천이 차창 밖에서 손을 흔들었다. 용성스님은 창유리를 통해 점점 멀어져가는 소천의 모습을 묵묵히 지켜보았다.

비록 독립운동을 하는 동지들과 수시로 연락이 될 것이고 수많은 조선동포들이 있기는 하지만 어쩐지 자라지도 않은 어린아이를 떼놓고 떠나는 어미의 심정처럼 가슴이 찡해져 오는 것이었다.

기차는 드넓은 만주벌판을 달리고 있었다. 근 10개월만의 경성 길이었다. 눈이 빠지게 기다리고 있을 경성의 신도들을 생각하니 용성스님의 마음은 어느덧 앞날에 대한 새로운 계획으로 서서히 타오르기 시작했다.

여러 가지 생각에 골몰해 있는 스님의 옆모습을 바라보던 동헌이 조심스럽게 입을 열었다.

"스님!"

"왜?"

"사실은 저, 조마조마 했었습니다."

"무슨 말씀인가?"

"절더러 만주에 계속 남으라고 하실까 봐서요."

"자네는 깨끗한 중노릇은 잘할수 있을테지만 독립운동에는 어울리지 않는 사람이야."

"그걸 어떻게 아셨습니까요, 스님?"

"재목도 다 쓰임새가 다른 법! 기둥감이 따로 있고 서까래감이 따로 있지 아니하던가?"

자존심이 상했는지 동헌이 불쑥 볼멘소리를 했다.

"저는 그럼 기둥감은 되지 못하고 서까래감밖에 아니 된다 그런 말씀이신가요?"

"허어, 이 사람이! 기둥감 서까래감은 제각각 소임이 다르니 거기에는 우열이 있을 수 없는 법! 어찌 스스로 차별심을 내려하는가?"

"자, 잘못됐습니다, 스님."

동헌은 금세 잘못을 뉘우치고는 머리를 긁적이며 말했다. 용성스님이 평소 그 누구보다도 동헌 자신을 믿고 있다는 것을 알고 있었기 때문이었다.

삼일을 꼬박 달린 기차는 차츰차츰 경성역에 가까워지고 있었다. 아직 역에 도착하려면 멀었지만 무사히 한양에 돌아오게 되었다는 기쁨이 동헌을 사뭇 들뜨게 만들었다. 동헌은 즐거운 표정으로 미리부터 짐을 챙기는 등 분주하게 움직이고 있었다.

그러나 용성스님은 여전히 생각에 잠긴 얼굴로 창 밖을 내다보고 있었다.

"스님, 이제 조금만 있으면 경성역이랍니다요!"

"음, 그래."

스님은 차창에서 눈을 떼지 않은 채로 건성으로 대답했다.

"무슨 걱정이 있으십니까, 스님?"

"아닐세. 그냥 경성에 가까워 올수록 만주에 혼자 두고온 소천이가 자꾸 마음에 걸리네."

"예. 아닌게 아니라 저도 좀 그렇습니다요, 스님. 혼자서 교당을 이끌어가기는 벅찰텐데……."

"그러게 말일세. 누구를 보내주긴 보내주어야 할텐데."

"예, 스님."

"헌데 자네 생각에는 만주에 누구를 보내면 좋을 것 같은가?"

"그, 글쎄 올습니다요. 저도 생각을 해보았지만 선뜻 마땅한 사람이 떠오르지 않는데요."

"흐음. 내 생각에는 청계천 천일당 약국에 근무하는 김군 같은 젊은이가 한 사람 있었으면 싶은데."

"천일당 약국에서 조수로 일하는 그 김씨 청년 말씀이십니까?"

"자네 보기에는 어떻던가?"

"그야 쓸 만한 젊은입죠."

천일당 약국의 김씨 청년은 동헌 역시 잘아는 젊은이였다. 그 청년은 예의 바르고 성실해서 용성스님에게 각별히 잘 보인 모범청년이었다. 그는 멀리 용성스님이 지나가는 모습만 눈에 띄면 약국 밖에까지 나와 깍듯이 인사를 하곤 했다.

경성에 도착한 용성스님은 여러 사람을 물망에 올리던 끝에 결

국이 김씨 청년을 보내기로 결정하였다. 스님의 제의를 들은 청년
역시 흔쾌히 응낙하였다.

얼마 후 용성스님은 천일당 약국의 김씨 청년을 만주 대각교당
의 사무장으로 파견하게 되었다.

그런데 바로 이 청년이 용성스님을 배신할 줄이야 어찌 알았겠
는가.

청년을 만주로 보낸 지 몇 개월이 지났을 무렵이었다.

어느 날 동헌이 편지 한 장을 들고 스님에게로 달려왔다. 용성스
님은 마침 대각사를 찾아온 최상궁과 담소하고 있던 중이었다.

"스님! 만주에서 편지가 왔는데요?"

"오, 그래? 그렇지 않아도 너무 기별이 없다 하던 참인데 마침
잘 왔구먼!"

용성스님은 매우 반가워하며 만주 대각교당에서 보낸 편지를 뜯
어보았다. 낯익은 소천의 필체였다.

스님!
너무 놀라실까보아 걱정이옵니다.
스님께서 사무장으로 보낸 자가 바로 왜놈들의 밀정이었으니
그자가 온 후로 교당에 왔던 걸인들 셋이 왜경에게 체포되었고,
그자는 본색이 드러나자 농장과 교당 건물을 헐값에 팔아먹고

종적을 감추어 버렸습니다.

편지를 읽어 내려가던 용성스님이 입술을 부르르 떨며 신음을
토하기 시작했다. 곁에 앉아 있던 최상궁은 스님의 안색이 새파랗
게 변하는 것을 놓치지 않았다.

"스님! 무슨 일인지요?"

"아니! 이, 이게 대체 무슨 소리란 말인가! 세상에 원, 이럴 수
가!"

용성스님의 충격이 얼마나 대단했던지 스님은 편지를 쥔 손을
부들부들 떨면서 도무지 말을 잇지 못하는 것이었다.

스님의 얼굴은 거의 흙빛으로 변해가고 있었다. 최상궁은 스
님의 심상치 않은 기색에 놀란 나머지 스님의 어깨를 흔들며 소
리쳤다.

"아니 스님! 무슨 서찰이온데 이리 놀라십니까요, 네에?"

"이, 이런 못된 녀석이 있는가? 이, 이걸 좀 보시게! 약국에 있
던 그놈이, 그놈이 왜놈들 밀정이었다지 않은가!"

충격이었다.

스님의 말을 들은 최상궁은 경악을 금치 못하고 말했다.

"예에? 아니 그 젊은이가 왜놈들 밀정이었다니요?"

"이 편지를 좀 보시게. 그 청년은 자기의 본색이 드러나자 농토

며 교당까지 헐값에 팔아먹고 종적을 감추었다지 않은가?"

"아니 세상에! 농토에 교당까지 팔아먹었다구요?"

최상궁은 편지를 받아 쥐고도 읽을 엄두가 나지 않았다. 오히려 이 충격으로 인해 용성스님의 건강이 크게 상할까봐 그게 걱정이었다.

"천하에 이런 고약한 녀석을 보았는가? 으응? 허허허허."

스님은 넋이 나간 사람처럼 공허한 웃음을 웃기 시작했다.

"스님, 고정하시옵소서!"

"내가 이제 망녕이 들었구먼. 세상에 사람을 잘못봐도 이렇게 잘못보다니."

그 사건의 충격으로 용성스님은 끝내 몸져 눕게 되었다.

그러나 일은 거기서 끝나지 않았다.

만주 대각교당의 사무장으로 파견된 자가 왜경의 밀정 노릇을 하다가 농장과 교당 건물까지 팔아먹고 달아난 사건의 여파는 용성스님에게까지 다시 연루되었다.

한동안 모습을 보이지 않던 일본인 고등계 형사가 다시 대각사를 출입하기 시작한 것이다.

형사는 여유있는 미소를 지으며 자리보존하고 누워있는 용성스님의 처소에 나타났다.

"안녕하십니까, 대사님?"

"그대가 또 어쩐 일인가?"

"옴마니반메훔 밥 한술 줍쇼!"

형사는 장난스레 지껄이며 불량스럽게 웃어댔다.

"어떤 걸인이건 이렇게만 얘기를 하면 이곳 경성의 대각사나 만주 대각교당에서나 대접이 아주 융숭하다고 하던데. 대사님! 그게 사실입니까?"

용성스님은 고등계 형사의 무례한 태도에 눈살을 찌푸리며 자리에서 일어나 앉았다. 스님의 얼굴은 창백했으나 두 눈만은 밝게 빛나고 있었다.

"불교는 옛부터 보시행을 덕목의 으뜸으로 가르치고 있으니 사찰에서 걸인에게 음식과 재물을 나누어 주는 것이야 당연한 일이 아니겠는가?"

"흠, 그래요오? 그렇다면 한 가지 더 묻겠소! 구걸하러 온 걸인은 다같은 걸인일텐데 어찌하여 옴마니반메훔을 외우는 걸인에게는 돈을 듬뿍듬뿍 주었는지 그 이유를 좀 설명해 보실까?"

"그거야 같은 걸인이라 하더라도 옴마니반메훔을 외우는 걸인은 그만큼 옳고 바르게 살게 되기를 간절히 염원하는 사람이니 불가에 몸담은 사람으로서 자연 고마운 생각에 더 좀 따뜻하게 대해 주었을 수도 있었을 터! 그게 무어 그리 이상하다고 그러시는가?"

"대사님께서는 우리 일본경찰을 모조리 다 천치 바보로 취급하는 모양이신데 그렇다면 그 자금은 대체 어디서 제공받은 거요?"

"자금이라니?"

형사는 불경이 놓인 탁자를 손바닥으로 두드리면서 소리쳤다.

"만주에 70정보나 되는 드넓은 농토를 사들인 자금, 그리고 교당건물을 사들인 자금, 그많은 자금은 대체 어디서 제공받은 거요?"

"절에서 쓰는 돈은 모두 다 시주금인 줄 뻔히 알고 있을 터, 달리 또 어디서 돈을 제공받는단 말인가?"

"시주금이라고 그러셨습니까?"

"자금이라는 말은 당치도 않은 말! 사찰에서야 시주금 아니면 다른 돈이 나올 데가 없지 않은가?"

"그렇다면 그 시주금을 낸 사람은 대체 어디 사는 누구누군지 그걸 한번 설명해보실까?"

"그거야 일일이 돈에다 주소 성명을 기입해서 복전함에 넣질 않으니 내가 어찌 알 수 있겠는가?"

"정말로 모른단 말이오?"

"이치가 그렇지 아니한가?"

"흠, 좋소! 결국은 그 자금출처가 밝혀질 것이니 그때 가서 후회해도 소용없을 줄 아시오."

자리를 박차고 일어난 일본인 고등계 형사는 용성스님을 노려보며 위협조로 한마디 하더니 휑하니 사라졌다.

일본경찰이 이렇게 자금출처를 밝히기 위해 혈안이 되자 불안해서 어쩔 줄 모르는 사람은 바로 최상궁이었다. 만일 왕실에서 거액의 시주금이 전해진 것이 밝혀지는 날에는 또 한번 복잡하고 난처한 일이 왕실에까지 번지게 될 것이었기 때문이다.

스님 병문안을 빙자해 대각사를 찾아온 최상궁은 수심이 가득한 얼굴로 거듭 한숨을 쉬더니 이윽고 입을 열었다.

"대체 이 일을 어찌하면 좋겠습니까, 스님?"

"너무 심려하실 것 없으시네."

"아, 스님이 그러시지 않으셨습니까? 만주 대각교당에 구걸왔던 걸인 셋이 체포됐다구요!"

"아무리 체포가 됐을 망정 그렇게 호락호락 털어놓을 사람들이 아닐세. 또 설혹 아는 대로 털어놓는다고 해도 그 사람들이야 내가 말한 그 이상은 아는 게 없으니 무슨 상관이 있겠는가."

"그럼 저는 정말 걱정을 아니해도 괜찮은 거지요, 스님?"

"염려마시게. 어떤 일이 있어도 최상궁한테까지 누가 끼친데서야 말이 되겠는가? 허나……."

"무슨 말씀이시옵니까, 스님?"

"저자들의 심기가 매우 불편해져 있으니 당분간 사찰출입을 삼가하시는 게 좋을 것이네."

"예. 알겠사옵니다, 스님."

이 일을 당하고 난 뒤 용성선사는 법당에 홀로 앉아 참선삼매에 드는 일이 많아졌다. 육십 평생을 살아오면서 여러 가지 인생의 고비를 두루 겪어온 스님이었으나 이처럼 참담한 지경을 당하기는 처음이었다.

그 김씨 청년에 대해서 잘 알아보지도 않고 왜 그리 경솔하게 만주로 보내었던가, 두고두고 생각해 보았지만 그저 뼈아픈 회한으로 남는 일일 뿐 한번 엎지른 물을 다시 주워 담을 도리는 없었다.

급기야 어느 날 저녁엔 제자 동헌을 불러 앉히고 이렇게 말하는 것이었다.

"내 그동안 마음이 조급해서 부끄러운 일을 당했으니 그대에게 차마 뭐라고 할말이 없네."

"아, 아니옵니다, 스님!"

당황한 동헌이 손을 내젓는데도 스님은 힘없이 고개를 흔들었다. 부끄러운 일은 부끄러운 일이었다. 자신이 잘못되었으면 아무리 젊은 제자에게라도 고개숙여 사죄하는 것이 스님의 성품이었다.

동헌은 난생 처음 스님의 외로운 모습을 보는 듯했다. 스님은 창밖 오동나무 가지에 걸린 둥그런 달을 보며 조용히 입을 열었다.

"내가 부처님과 인연을 맺은 것은 열 네 살 때였었지. 생전 절에 가본 일도 없었고 불상조차 구경한 일도 없었는데 어느 날 꿈속에 부처님이 나타나셨어. 이상한 일도 다 있다 싶어 마을 청년에게 꿈 얘길 털어 놓았더니 바로 그렇게 생긴 부처님이 남원 교룡산성 덕밀암 법당에 모셔져 있다는 게 아니겠는가. 그래서 그 덕밀암에를 가보았더니 과연 꿈에 본 부처님이 덕밀암 법당 안에서 웃고 계시지 않겠는가. 그길로 머리를 깎고 부모님도 모르게 바로 그 덕밀암에서 일 년이나 지냈는데 그만 부모님이 아시게 되어 강제로 환속을 하고 말았었네.”

“스님.”

“왜?”

“어인 일로 스님께서는 소승에게 생전 꺼내시지 않던 어릴 적 이야기를 들려주시는 것이옵니까?”

“허허허. 옛날 일을 더듬어 생각하면, 특히나 어렸을 적 일을 되짚어 생각하노라면 사람은 누구나 마음이 아주 맑아지는 법. 마음이 산란하거나 마음이 어두워지거나 괴롭다는 생각이 들거든 조용히 옛일을 돌이켜보게나. 아시겠는가?”

“네, 스님. 잘 알겠습니다.”

17
조선 주장자 맛이 과연 어떠십니까

    용성선사는 1864년 음력 5월 8일 전라도 남원군 하번암면 죽림리에서 아버지 백남현과 어머니 밀양 손씨 사이에서 장남으로 태어났다.

    선사가 태어난 해인 갑자년 음력 5월 8일, 어머니 밀양 손씨는 꿈에 법복을 찬란히 입은 한 스님이 들어오는 꿈을 꾸고 용성스님을 낳았다.

    아버지 수원 백씨는 장남의 탄생을 기뻐하여 이름을 상규(相奎)라 짓고 몹시 귀여워하였다. 그런데 어린 상규는 갓 태어났을 때부터 좀 남다른 면이 있었다. 잘 울지도 않고 냄새와 시끄러운 소리를 싫어하였던 것이다.

    아무튼 상규는 부모님의 자애와 사랑 속에 무럭무럭 건강하게 자라났다.

그는 어릴 때부터 남달리 자비스러운 성품을 타고났다. 언젠가 한번은 가난한 이웃에 우환이 들어 끼니를 잇지 못하는 것을 보고는 광에서 곡식을 갖다주기도 했다고 한다.

소년 상규는 일곱 살 무렵부터 한학을 익히기 시작했다. 그는 매우 총명하였고 시작(詩作)에 능했다. 아홉 살 무렵의 어느 봄날에는 소녀들이 들판에서 아름다운 꽃을 꺾어드는 것을 보고는 〈합죽선〉이란 제목으로 절묘한 시를 지어 많은 서생들을 놀라게 하기도 했다.

합죽선 부채를 크게 흔들어서
동정호 바람을 빌려오리라
꽃을 꺾어 손에 드니
봄마음이 움직이네

이렇게 어린시절부터 비상했던 소년 상규는 열 네 살 때 꿈에서 부처님을 친견했다.

그것은 1877년 10월 15일 밤의 일이었다.

소년 상규는 잠결에 수십 마리의 수탉이 우는 것을 보았다. 하늘은 푸르고 바람은 잔잔한데 수십 마리 수탉들이 무리를 지어 다니며 내는 울음소리는 몹시 청아했다. 소년 상규는 그 신비스러운 광경에 빠져들어 무의식 중에 발걸음을 떼어놓는다는 것이 어느덧 50리길을 걸었다.

소년 상규가 수탉 울음소리를 좇아 당도한 곳은 맑은 물이 흐르는 아름다운 골짜기였다. 그 골짜기 가운데에는 조그만 암자 하나가 서있었다. 상규는 자신도 모르게 그 암자로 들어가게 되었다. 암자 안에는 처마 끝에 매달린 풍경소리가 은은한 가운데 부처님이 앉아계셨다.

그런데 놀랍게도 앉아계시던 부처님이 스르르 일어나 상규야! 하고 부르며 소년 상규 앞으로 걸어오는 게 아닌가!

"아, 부처님이시어!"

소년 상규는 저도 모르게 도취되어 땅 위에 무릎을 꿇었다.

부처님께서는 금빛 찬란한 손으로 상규의 손을 잡고 미소지으며 말했다.

"내 이제 너에게 정녕 이 정법을 전하노니 너는 부디 명심하여 저버리지 말지어다."

그 말씀이 끝나는 순간 소년 상규는 꿈에서 깨어났다.

비록 꿈이었지만 주위에는 아직도 신비스런 향기가 가득하였고 머리속이 투명하게 맑아지는 기분이었다. 더욱이 꿈속에서 부처님께 들었던 말씀이 생시인 듯 너무도 선명하였다.

그때까지 상규는 단 한번도 절에 가본 적이 없었고 불상을 본 일
조차 없었다. 그날의 꿈속에 나타나서 상규의 마음에 아로새겨진
부처님의 모습이 얼마나 강렬했던지 상규는 그만 자신도 모르게 부
처님 모습을 찾아나서게 되었다.

그때 어린 상규의 발길이 닿은 곳이 바로 우연히도 남원 교룡산
성의 덕밀암이란 곳이었다. 그런데 신기하게도 그 덕밀암과 그곳에
모셔진 부처님의 모습이 바로 꿈에 본 그 절이요, 그 부처님이었다
고 한다.

그러한 인연을 계기로 상규는 그곳에서 출가생활을 시작했다.
그러나 일년 뒤 아들을 백방으로 찾고 있던 부모님에게 발견되어
강제로 집에 돌아오게 되었다.

출가한 아들을 억지로 데려오기는 했으나 부모님의 걱정은 태산
과도 같았다. 잠시라도 상규의 모습이 보이질 않으면 또 집을 나갔
을까봐 가슴이 덜컹했다.

부모님은 단둘이 마주앉기만 하면 자식 걱정뿐이었다.

"원 세상에! 하나밖에 없는 자식이 부모도 모르게 출가승려가
됐으니 하마트면 우리 집안 꼴이 어찌 될 뻔했는가?"

"그러게 말이에요. 생전 가본 일도 없던 절에 가 있었을 줄이야
낸들 어찌 짐작이나 했겠어요, 글쎄!"

"당신도 알다시피 우리 수원 백씨 집안이 어디 보통 집안이요?

고려시대에 대제학을 지내시고 태조와 태종 임금의 부름을 두번이나 거절했다 하여 이곳 전라도 산골로 유배되어 여기서 수절하신 백장 어르신의 후손이거늘 여기서 대가 끊기면 내가 무슨 면목으로 조상들을 뵈올 수 있겠소?"

애가 끓는 듯한 남편의 말에 상규의 어머니도 고개를 끄덕이며 말했다.

"이제 집에 데려왔으니 설마한들 또 중이 되겠다고야 하겠습니까만 아무래도 마음에 걸리는 것이 있어요."

"아니, 마음에 걸리는 것이 있다니?"

"고사리를 꺾으러 가면서 저 애를 몇 번 데리고 간 적이 있었어요."

"그, 그랬는데?"

"그런데 내가 고사리를 꺾을 적마다 옆에 있던 상규 저 녀석이 글쎄 고사리 흉내를 내면서 아이구 아퍼, 아이구 아퍼 그러면서 한사코 고사리를 못 꺾게 하는 것이 아니었겠어요?"

"허허. 그러구 보니 나두 생각나는 게 있구만."

"무슨 일인데요?"

"상규 저 녀석이 예닐곱 살 되었을 때던가. 내가 낚시질을 가면서 데리고 간 일이 있었는데 내가 고기를 낚아 바구니에 담아 놓았는데 나중에 보니 그 고기들을 저 녀석이 죄다 놓아줘 버리지 않았겠는가."

"휴우! 그것 보세요. 저 녀석 하는 짓이 아무래도……."

상규 어머니가 불안한 기색으로 한숨을 내쉬자 아내의 등을 도 닥거리며 아버지가 말했다.

"그러니 당신이 단단히 이르고 단단히 붙잡아야 하오. 만일 저 녀석이 또 집을 나가는 날에는 우리 수원 백씨 집안은 대가 끊기는 게요."

그러나 부모님의 손에 의해 끌려온 백상규가 집에 머문 것은 겨 우 일년 정도에 불과했다. 열 여섯 살 되던 해 여름, 백상규는 기어 이 또 집을 뛰쳐나오고 말았다.

두번째로 출가를 결심한 그는 이번에는 부모님들이 찾을 수 없 는 아주 먼곳으로 길을 떠났다. 이때 소년 백상규, 훗날의 용성스 님이 찾아간 곳은 가야산 해인사 극락암이었다.

해인사 극락암에 당도한 용성스님은 화월화상을 은사로 혜조율 사를 계사로 삼아 정식으로 삭발출가하게 되었다. 조숙했던 용성스 님은 출가득도한지 몇 개월도 채 지나지 않아 경상도 의성군 등운 산에 있는 고운사로 가서 수월선사를 만났다.

수월선사를 만난 용성스님은 대뜸 생사대사의 도리와 깨달음을 얻는 방법에 대해 여쭈었다.

젊은 용성스님의 예사롭지 않은 눈빛에 이끌린 수월선사는 빙긋이 미소지으며 다음과 같은 게송으로 답하였다.

> 부처님 가신 지 이미 오래 된 때라
> 마군은 강하고 정법은 약하며
> 지나간 세상 업의 장애가 무거웁고
> 선은 약해 물리치기 어려우니라
> 그러니 그대는 삼보께 예배하고
> 부지런히 대비주를 지송하면
> 자연히 업장이 소멸되고
> 마음에 광명이 비치게 될 것이니라

　이때부터 용성스님은 신묘장구 대다라니와 육자진언 옴마니반메훔을 밤낮으로 외우기 시작했다. 수월선사에게 배운 수행법대로 지극정성으로 진언을 외운 지 어언 9개월이 흘렀다.
　어느 날 경기도 양주군에 있는 보광사 도솔암에서 6일 동안 참구를 거듭하던 용성스님은 홀연히 눈이 밝아지게 되었으니 그 최초의 감격은 이루 형언할 길이 없었다. 그는 온갖 의심이 풀린 그 한순간의 경지를 이렇게 읊었다.

> 한 생각이 통밑 빠져나간 듯하니

그 경지 말로는 표현할 수 없고
마음으로 헤아릴 길이 없구나!

　그후 용성스님은 금강산 표훈사에서 무융대선사를 친견하고 참
선지도를 받은 다음 무자 화두를 붙들고 정진을 계속하였다.
　다시 보광사 도솔암으로 온 용성스님은 부지런히 무자 화두를
참구한 끝에 어느 순간 무자(無字)의 의심이 풀려 두번째의 깨달
음을 얻게 되었다.
　용성스님은 다시 발길을 돌려 우리나라 불보종찰인 통도사로 향
했다. 그는 통도사 금강계단에서 선곡율사로부터 비구계와 보살계
를 받았다. 이제 완전한 사문으로서 구족계를 갖춘 그는 두 번이나
의심을 풀고 깨달음을 얻었지만 흡족하지가 않았다.
　전라도 승주 조계산 송광사 삼일암에서 부지런히 참구하던 용성
스님은 중국선사들의 기록인 〈전등록〉의 한 구절을 읽다가 문득
세번째의 깨달음을 얻었다.

　홀연히 코끝이 찡하여지매
　해와 달이 속삭이는 소리 들리고
　무자 화두의 참뜻이 확연히 명백해져서
　일체 의심이 다 풀리더라!

용성스님의 나이 스물 두 살 때의 일이었다. 전후 세차례씩이나 깨달음을 얻은 용성스님은 이제 모든 의문이 다풀렸다고 생각했으나 자만하지 않고 열심히 보림공부를 해나가는 한편 그동안 소홀히 하였던 경전을 열심히 읽어나갔다.

　해인사에 머물면서 보림 정진을 계속하던 어느해 가을날이었다. 하루는 지금의 구미 근처 낙동강변을 거닐게 되었다.

　하루종일 덤불 속에서 울던 새들은 둥지를 찾아 어디론가 날아가고 유유히 흐르는 검푸른 강물 위에는 고깃배 한 척이 외로이 떠가고 있었다. 한 줄기 서늘한 저녁바람이 땀이 촉촉히 배인 등허리를 스쳐갔다. 병풍처럼 낙동강을 휘어 감싼 금오산 자락에 황금빛 둥근달이 둥실 떠올랐다.

　흰 갈꽃이 무성하게 핀 강변을 홀로 걸어가던 용성스님의 가슴이 뻐근해지면서 첫번째 견성에도, 두번째 세번째 견성에도 느끼지 못했던 감동이 온몸을 뒤흔들었다.

　이때 읊은 게송이 바로 진정한 용성스님의 오도송으로 후대에까지 널리 알려지게 되었다.

　　금오산에 달이 돋아오르니
　　만리에 이르는 낙동강은 흐르는데
　　고깃배는 대체 어디로 가는고

여전히 갈대꽃 속으로 자러 가더라

1886년 용성스님의 나이 스물 세 살 되던 때였다.

이때부터 용성스님은 걸망 하나 짊어진 채 팔도강산 명산대찰을 안가본 데 없이 두루 돌아다니며 운수행각을 시작했다. 이 운수행각의 14년 동안 용성스님은 전국 각지의 참선법회를 지도하여 선풍을 드날리게 되었다.

그러나 때는 바야흐로 굳게 닫혔던 쇄국의 문이 외세의 힘에 의해 강제로 열리기 시작하던 무렵이었다. 조선의 주도권을 잡기 위해 일본과 청나라가 서로 싸우고 있었고 내부적으로는 남쪽에서 일어난 동학난으로 인해 나라 안은 극도로 혼란에 빠져갔다.

조선은 점점 일본의 손아귀로 들어가기 시작했다. 아무리 조선불교의 종맥을 다지는 선지식이라 한들 이런 나라 안팎의 사정을 모른 체 할 수는 없었다. 누구와의 선문답에도 막힘이 없는 그였으나 갈팡질팡하는 조선의 운명을 생각하면 암담하기만 했다.

스님의 나이 마흔 네 살 되던 1907년 9월에는 중국의 명산 대찰 순례를 위해 직접 중국땅을 밟게 되었다. 이때 용성스님이 중국의 고승들과 선문답을 겨룬 통쾌한 이야기가 지금까지 전해내려 오고 있다.

중국의 명산대찰을 두루 참배한 용성스님은 마침내 중국의 고승들을 친견할 기회를 가지게 되었다. 이 당시 대부분의 중국의 고승들은 조선불교를 매우 얕잡아 보고 있었다. 그도 그럴 것이 그들은 중국 승려라면 무조건 경모해 마지않는 사대주의에 찌든 조선중 외에는 만나본 적이 없었다.

중국의 고승들은 조선에서 온 중이라 하면 무조건 어깨에 힘을 주고 어린아이 다루듯이 무례하게 굴었다. 용성스님이 처음으로 만나게 된 그 고승도 예외는 아니었다. 그는 자신을 만나러 온 용성스님을 힐끗 바라보더니 시큰둥한 어조로 말했다.

"그래 조선에서 오셨다구 했던가?"

"그렇습니다, 대사님."

"그러면 조선에도 아직 불교가 있다는 말씀이신가?"

"지금 조선불교는 진흙밭에 피어있는 연꽃입니다."

"원효대사 이후로 소식이 끊겼거든 연뿌리가 아직 살아 있었단 말이던가?"

"연꽃이 앞다투어 피어 있거늘 어찌 뿌리를 물으십니까?"

"조선에 연꽃이 피었다는 소리를 내 아직 듣지 못했으니……."

중국 고승은 용성스님의 기를 죽이려는 속셈으로 처음부터 세게 나왔으나 그 정도로 기가 죽을 용성스님이 결코 아니었다. 용성스님은 빙긋이 웃으며 고승에게 말했다.

"대사님께서는 귀만 어두우신 게 아니라 눈까지 어두우신 것 같소이다그려."

"귀도 어둡고 눈도 어둡다?"

"게다가 법은 높으신 것 같은데 말씀하시는 걸로 보아 어디가 많이 편찮으신 것 같소이다그려."

용성선사가 많이 편찮아 보인다고 한 것은 어디가 아프기에 헛소리를 하느냐는 뜻이었으니 그 말뜻을 이해하지 못할 중국 고승이 아니었다. 중국 고승은 벌떡 일어나 위압적인 눈길로 용성스님을 노려보며 소리쳤다.

"내 어디가 아파 보이는가? 치통이란 말인가, 심통이란 말인가?"

그는 용성스님이 채 대답을 하기도 전에 큰소리로 채근했다.

"어찌 대답을 아니하는가? 내가 지금 치통이란 말인가? 심통이란 말인가?"

그러나 대답대신 그의 어깨 위로 날라오는 것은 용성스님이 휘두른 주장자였다.

"딱!"

중국 고승은 흠칫 놀라며 큰숨을 삼켰다.

"아니! 감히 그대가 나를 주장자로 쳤는가?"

"조선 주장자가 중국에서 울리니, 그 소리가 과연 어떠하십니까?"

"아니? 이, 이럴 수가!"

중국 고승은 더 이상 말을 잇지 못하였다. 그는 입술을 부르르 떨고 잠시 머뭇거리더니 마침내 용성스님의 앞에 덥석 무릎을 꿇으며 말했다.

"몰라뵈어 부끄럽소이다. 조선에 연꽃이 활짝 피었음을 내 이제 알게 되었으니 조선 주장자는 그만 거두십시오!"

"하하하하하!"

용성선사가 중국의 통주 화엄사에 갔을 때 만난 중국의 고승 역시 조선불교를 형편없이 폄하하는 사람이었다. 그 고승이 조선중을 얼마나 얕잡아 봤던지 특별히 바쁘지도 않으면서 용성스님으로 하여금 하염없이 기다리게 만드는 것이었다.

그러나 용성스님은 빈방에 홀로 앉아 바람에 울리는 풍경소리를 묵묵히 듣고 있었다.

한참만에 나타난 중국 고승은 미안하단 말도 없이 용성스님을 위아래로 훑어보았다. 그는 제자를 시켜 차를 내오게 한 뒤에야 겨우 한마디 던졌다.

"조선에서 여기까지 왔다니 목이 마를 터! 우선 차나 한잔 드시지."

"예. 감사하옵니다, 대사님!"

중국 고승의 불손한 태도에도 용성스님은 깍듯이 예우를 하며 두 손으로 찻잔을 받아들었다. 용성스님이 차를 한모금 마시고 잔을 내려놓자 중국 고승이 거드름을 피우며 천천히 입을 열었다.

"그래. 조선의 사문이라고 하였으니 대체 계는 어디서 받았는고?"

"예. 통도사 금강계단에서 받았사옵니다."

"통도사라?"

"그렇습니다, 대사님."

"통도사라. 내 아직 들어보지 못한 사찰이거늘 그럼 거기서 사미계를 받았다 그런 말이렷다?"

첫마디부터 상대를 무시하는 태도가 역력하였으나 용성스님은 여전히 공손한 태도로 대답을 올렸다.

"사미계를 받은 곳은 해인사이옵고, 통도사 금강계단에서는 비구계를 받았사옵니다."

"내가 알기로는 조선에 사미계는 있어도 비구계는 없다고 하던데, 조선에서 감히 어떻게 비구계를 내린단 말인가?"

"조선 불교도 그 역사가 이미 천육백 년이 넘었거늘 어찌 비구계를 내리지 못한다 하십니까?"

"그래도 그렇지! 선불교야 우리 중국이 본산이거늘 어찌 감히 조선에서 큰 계를 내릴 수 있단 말인가? 그대도 기왕에 우리 중국에 왔으니 제대로 계를 받고 가는 게 좋을 것이네."

중국 고승이 마치 상대의 인내심을 시험해보려는 사람처럼 끈질기게 비아냥거렸다. 이때 범종소리가 장엄하게 울리기 시작했다. 묵연히 찻잔을 내려다 보고 있던 용성스님이 고개를 들고 빙그레 웃으며 한마디 질문을 던졌다.

　"하오면 대사님! 소승이 한 가지 여쭙겠습니다."

　"무슨 얘긴지 어디 해보게나!"

　"지금 울리는 저 범종소리는 대체 대사님의 것이옵니까? 소승의 것이옵니까?"

　"범종소리?"

　중국 고승이 전연 듣지 못했다는 듯 시치미를 떼는데 다시 한번 범종소리가 울려퍼졌다.

　"흐음. 저 소리가 내 것이냐, 그대의 것이냐?"

　"그렇습니다."

　"허허허. 나 원 참! 그야 어찌 내 것, 그대의 것이 있을 수 있는가? 듣는 사람 모두의 것이지."

　"그럼 하늘에 떠있는 해와 달은 중국의 것이옵니까, 조선의 것이옵니까?"

　"하늘에 뜨는 해와 달?"

　"그것은 대체 어느 나라 것이옵니까, 대사님?"

　이야기가 좀 이상하게 돌아간다 싶었던지 중국 고승은 약간 당혹한 표정으로 이렇게 둘러대는 것이었다.

"아 그거야 중국 것이라고 할 수도 없고 조선 것이라고 할 수도 없고 이 세상 모두의 것이 아니겠는가?"

용성스님의 질문은 집요하게 계속되었다.

"그럼 대사님! 하늘에 뜨는 해와 달이 중국에 있을 때는 더 커지고 조선에 가면 더 작아지겠습니까?"

"그, 그거야 크고 작아지고 그럴 리가 있는가?"

"바로 그렇습니다, 대사님. 부처님 법도 해와 달과 같은 것! 중국사람의 것도 아니요, 조선사람의 것도 아니요, 천하만민이 다 가지는 것! 중국에서는 더 커지고 조선에 가면 작아지는 게 아니거늘 대사님은 어찌하여 조선불교는 작고 중국불교는 크다고 생각하시는 것입니까?"

시종 웃음을 잃지 않던 용성스님의 눈빛이 이 대목에 이르러서는 화산처럼 뜨거운 불을 뿜어대고 있었다. 극도로 당황한 중국 고승은 결국 말까지 더듬으며 용성스님에게 사죄를 올리게 되었다.

"내, 내가 실언을 했소이다. 용서하시옵지요."

그런데 바로 그날 밤이었다.

통쾌하게 중국 고승한테서 사과를 받아낸 용성스님은 중국 통주 화엄사 객실에서 잠을 자고 있었다. 그런데 잠결에 용성스님은 누군가 자신을 자꾸 불러내는 듯한 느낌을 받았다.

"상규야! 상규야!"

그것은 머리를 풀어헤친 처참한 어머니의 형상이었다. 어머니는 애절한 목소리로 자신을 부르고 있었다. 소스라치게 놀란 용성스님이 어머니를 향해 소리쳤다.

"아니 어머님! 대체 어쩐 일이시옵니까?"

"너로 하여 백씨 가문의 대가 끊겼으니 내 무슨 면목으로 조상들을 뵐 수가 있겠느냐? 그래서 이렇게 갈 곳이 없어 구천을 헤매고 있으니 이 에미가 불쌍하지도 않단 말이냐?"

"어머니! 아니 그럼 어머니께서는 이 세상을 뜨셨단 말씀이십니까?"

"부모가 세상을 뜬 지 이미 오래거늘 여태 그것조차 모르고 있었단 말이냐? 아무리 출가를 했기로. 흐흐윽! 상규야!"

"어머니!"

그러나 어머니는 애간장을 녹이듯 절절히 흐느끼면서 점점 멀어져가고 있었다.

"너무하는구나. 너무하는구나, 너무나도 무심하구나. 상규야아."

"어머니! 어머니, 거기 계십시오! 어머니! 어머니!"

사라져가는 어머니의 형상을 잡으려 손을 뻗치다 말고 용성스님은 꿈에서 깨어났다. 온몸이 땀투성이였다.

"오오! 이 무슨 악몽이란 말인고. 아니 그럼! 혹시 부모님이 다 세상을 뜨셨단 말인가."

18
말이나 글로써 가르쳐줄 수 없는 것

　중국의 내노라하는 고승들을 만나 코를 납작하게 만들었던 용성 스님은 2년만에 중국에서 돌아왔다. 스님은 곧바로 전라도 남원에 있는 고향을 찾았다.

　그러나 소년시절 뛰어놀던 들과 산은 여전하건만 스님이 나고 자란 고향집은 한 귀퉁이가 허물어져 있었다. 한 귀퉁이가 내려앉은 고향집을 보는 순간 스님의 마음 한구석에 오랫동안 간직해온 무엇이 와르르 무너지는 것만 같았다.

　"여보시오! 안에 아무도 안계십니까?"

　집의 모양새로 보아 도무지 사람 사는 자취가 느껴지지 않건만 스님은 혹시나 하는 마음에 떨리는 목소리로 방 안을 향해 외치는 것이었다.

"아무도 안계십니까?"

용성스님은 조심스럽게 싸리문을 젖히고 집 안으로 들어갔다. 예전에는 싸리문 안쪽으로 자그마한 화단이 있었는데 지금은 허리까지 오는 잡초만이 무성할 뿐이었다. 잡초를 헤치고 걸어 들어가는데 쥐들이 찍찍거리는 요란한 비명을 지르며 시궁창 쪽으로 달아났다.

"아!"

방 안을 들여다보던 스님은 자기도 모르게 외마디소리를 질렀다.

툇마루와 방 안에는 온통 쥐똥과 거미줄 투성이였다. 쓸 만한 가재도구는 모두 동네사람들이 거둬간 모양으로 온 집안이 텅텅 비어있었다. 방구들이 푹 꺼진 먼지 투성이의 방 안은 을씨년스럽기 짝이 없었다.

"나무아미타불."

용성스님이 빈집을 나서는데 집 앞에 웬 젊은 아낙이 의아한 눈빛을 보내며 서있었다.

"누굴 찾으세요, 스님?"

"저 혹시 이 집에 살고 계시던 백씨 성을 가진 어른을 알고 계시는지요?"

"예에. 벌써 오래 전에 두 분 다 돌아가셨는데요?"

"예? 두 분 다 돌아가셨다구요?"

"어쩌나! 돌아가신 영감님을 찾아오셨나본데."

"저, 혹시 두 분이 어디 묻혀 계시는지 아시는지요?"

"저기 저 뒷산 기슭에 산소가 있다지요, 아마!"

용성스님은 아낙이 가리키는 산자락을 향해 천천히 걸음을 옮기기 시작했다.

돌아가신 부모님을 모신 산소에는 잡초만 무성하게 자라 무덤을 온통 뒤덮고 있었다. 얼마나 한이 맺혔으면 중국땅에 가있는 자식의 꿈속에까지 나타나셨을까.

용성스님은 손수 풀을 베어 부모님이 누워 계신 묘를 어루만지며 소리없이 울었다. 아무리 출가승려라 한들 어찌 죄스럽지 않을 수 있겠는가.

용성스님이 부모님을 위해 제를 올리니 뻐꾸기만 무심히 울었다.

"속가에 불효한 죄 막중한 줄 어찌 모르겠습니까. 제 비록 속가의 부모님과 조상님들께 큰 죄를 지어 가문의 맥을 잇지 못했사오나 이 나라 불교의 더 큰 맥을 잇고자 함이니 부디 용서하여 주시옵소서. 부디 극락왕생하시어 조선불교가 크게 융창하는 모습을 두고두고 지켜보시고 기뻐해 주시옵소서. 속가의 아들 백상규가 합장하여 비옵니다."

부모님이 누워 계신 무덤 앞에 무릎을 꿇은 용성스님이 눈물로 제를 지내니 구슬피 울던 뻐꾸기 한쌍이 무덤가를 맴돌다 멀리 날아갔다.

　그후 용성스님은 해인사와 범어사에 번갈아 머물면서 수많은 젊은 납자들을 제자로 삼아 이 나라 불교계의 거목으로 키웠다. 스님은 전등록, 기신론, 법화경 등의 경전을 두루 섭렵하여 상하좌우 막힘이 없는 경지에 이르렀다.
　"우리 불교를 깨달음의 교라고 하는데 여기에는 두 가지의 뜻이 있느니라."
　용성스님의 법문을 듣기 위해 모인 수많은 젊은 납자들은 소리조차 죽인 채 스님의 다음 말씀을 기다렸다.
　"우리가 보고 있는 것 중에서 가장 크다고 생각하는 것은 하늘과 땅과 바다와 허공일 것이야. 그러나 우리 불교에서 크다고 하는 것은 이런 눈에 보이는 것이 아닐세. 깨달음의 본래 마음은 이런 모든 것을 뛰어넘어 능히 깨치고 깨칠 바가 없는 것을 말함이니 그것은 말이나 글로써 가르쳐줄 수 없고, 어떤 형상으로도 보여줄 수 없는 것이네."
　"예."
　"허공 가운데엔 전기의 성품이 가득하고 바닷물에는 짠맛이 가득하나 분명 우리의 눈으로는 볼 수 없고 귀로도 들을 수 없네. 이와 같이 깨달음의 체성은 분명히 있지만, 일체의 명상(名相)이 없이는 눈으로 볼 수 없고, 귀로 들을 수 없으며, 뜻으로 생각할 수 없음이 깨달음의 첫번째 의미일세. 또 둘째는 비록 깨달음의 성품을 충분히 갖추고 있을지라도 깨치지 못한 이는 범부요, 비록 깨침이 있을지라도 닦지 못하면 범부 중생이니 그것은 본래 금일지라도 여러 번 용광로에서 단련하지 않으면 순금이 되지 못하는 이치와 같은 것이네. 그러나 한번 순금이 되면 다시는 변하지 않는 것이니 그대들은 이와 같은 이치를 잘 터득하여 부지런히 갈고 닦아 참다운 마음을 얻도록 온 힘을 기울이시게."

세상 사람들은 우리의 본 마음과 본 품성이 없어지지 않는 이치를 알지 못하고, 죽으면 아주 없어지는 것으로 생각한다. 이에 용성스님은 계속해서 이렇게 말씀하셨다.

"그대들은 축음기에 음파를 기록하여 두면 그 소리가 없어지지 않고 천년이라도 있는 것을 아는가? 또 우리가 일평생 무슨 말을 하든지 없어지지 않고 허공 법계에 있으면서 미래가 다하도록 존재하는 것을 아는가? 예를 들어 강물 가운데 돌을 던지면 그 물에 파문이 일면서 사방으로 번져가는 것처럼 우리의 말소리 역시 비록 적을지라도 전파를 따라 법계에 가득하여 없어지지 않는 것일세. 또한 어떤 사람이 평생을 문학에 종사하였다면, 마음속에 지식이나 상식 등 문학에 관한 모든 것을 넉넉히 간직하여 두었으되 간직하

여 두었으되 간직하여 둔 곳이 없는 것과 같은 것일세."

심오한 불교의 세계를 자연 현상에 비유하여 쉽게 풀이해 주시면서 스님은 젊은 납자들을 그 끝없는 깨달음의 세계로 인도해 주었다.

"인도에 지적초(知跡草)라는 풀이 있네. 꽃이 피면 크고 아름다우며, 맛이 최고인데 사람이 그 꽃을 꺾으러 가면, 사람의 발소리를 알아 듣고는 곧 오므라드는 신비한 꽃일세. 또 새나 거미가 앉으면 나뭇잎을 급히 오므려서 그것들을 흡수하여 먹는 나무가 있으니 어찌 겉으로 무심하게 보인다고 해서 무정한 물건이라고 말할 수 있겠는가? 그대들은 계란을 보시게. 그것은 둥글둥글하여 아무 지각도 없네. 그러나 이 계란을 따뜻한 곳에 두면 '꼬끼요!'하고 우는 산 물건이 그 가운데서 나오듯이 소나무 씨가 비록 작으나 낙락장송이 그 가운데서 나오며, 고기알이 비록 작으나 장강대해를 툭툭 쳐서 파도를 일으키는 큰 고기가 그 가운데서 나오고, 매알이 비록 작으나 창공을 능멸히 하는 송골매가 그 가운데서 나오니 알로 있을 때에 보면 무정한 물건과 같으나, 분명코 당당하게 산 물건이 아닌가?"

천지 만물은 오직 마음이 지은 것임을 깨우쳐주기 위해 용성스님은 한마디 한마디에 힘을 주어 말씀하였다.

"무릇 모든 자연 현상이 그러할진대 사람이야 더욱 말해 무엇하겠는가? 종자를 밭에 뿌리면 그 종자의 업성에 따라 맵고, 쓰고, 단 것이 다른 것과 같이 선업을 지은 자의 얼굴은 단정하고 모든 복이 자연히 이루어지지만, 악업을 지은 자의 얼굴은 법도를 잃어서 단 정치 못하거나 아름답지 못하여 복이 자연히 없어지는 것임을 명심 하여 마음 밭을 잘들 갈아야 하네. 아시겠는가.”

“예.”

“마지막으로 한 가지만 더 말해 두겠네. 그대들은 칠야삼경에 무 엇을 보는가?”

“오직 어두운 것만 봅니다.”

한 젊은 남자가 스님께 공손히 아뢰었다.

“그 어두운 것만을 보는 것은 장님과 같으니 그것이 곧 보는 것 이네. 장님이 밤에 꿈을 꿈에, 꿈 가운데서 일월이 밝게 빛나며, 만 물이 분명한 것을 보니 그것이 육안으로 보는 것인가? 그 보는 것 은 분명 밝은 마음이 보는 것일세. 사람이 비록 몸은 죽을지라도 밝은 마음은 결코 죽는 것이 아님을 명심들 하시게.”

이렇듯 용성스님의 안목과 경지는 조선 팔도에 비교할 만한 사 람이 없었다. 스님은 정혜사 수덕암에서 혜월선사와 문답을 나누었 고, 만공선사와의 문답에서도 선지를 번득였다.

용성스님은 온 사방을 두루 다니면서 학인을 접하고 병통을 제 거해 주었으며 어느 선지식과의 문답에도 막힘이 없었다. 스님은

이렇게 전국을 돌아다니면서 안거와 운수생활로 참선을 중심으로
한 전통적인 조선불교의 종맥을 확고히 다져나갔다.

어느 해 결제 때는 지리산 상선암에 33인의 납자를 모아놓고 선
을 지도하기도 하였다.

하루는 학인 하나가 용성스님께 여쭈었다.

"스님! 화두에도 좋은 화두가 따로 있습니까?"

"그런 말은 하시는 게 아닐세. 화두에 어찌 좋은 화두 나쁜 화두
가 따로 있단 말이신가?"

"어리석은 생각일지 모르지만 저는 이뭣꼬 화두는 무자 화두만
못한 줄로 알고 있었습니다."

"허허. 다시는 그런 사견을 내지 마시게. 자고로 좋고 나쁜 것은
사람에게 있지 화두법에 있는 게 아닌 것이네. 올바른 태도로 화두
를 의심하는 것, 이것이 가장 중요한 걸세."

"화두를 올바로 의심하라 하시니 과연 어떻게 참구하는 것이 옳
습니까?"

"화두를 들 때는 애지중지하던 귀한 보석을 잃어버린 사람이 허
겁지겁 보석을 찾듯이 그렇게 절실히 참구해야 하네. 여러 학인들
이 화두를 들다 보면 때로는 뜨거운 불처럼 번뇌만이 가득할 때도
있을 것이요, 때로는 차가운 얼음을 만지는 것처럼 마음이 잘 일어
나지 아니할 때도 있을 것이요, 또 어떤 때는 순풍에 돛단 배와 같

이 술술 잘 풀려나갈 때도 있을 것이네. 그러나 공부가 잘되든지 잘못되든지 그것을 마음에 두지 말고 다만 화두만 생각하여야 하네.”

“예, 스님.”

“분별하지 마시게. 이 공부는 한 물건을 일심으로 의심하여 궁구할 때만이 그 대답을 얻을 수 있는 것일세. 분별로 알고자 하면 천년 만년을 공부하여도 끝내 깨닫지 못하게 될 것이네. 모기 한 마리가 제몸을 돌보지 아니하고 쇠로 만든 소의 등을 일심으로 쏘듯이, 그렇게 쏘지 못할 곳을 향하여 전력을 다해 뚫어가면 마침내 이루게 될 것이네. 따뜻한 봄이 돌아오면 저절로 꽃이 피고 잎이 피듯이 공부도 그렇게 익어갈 걸세.”

“예, 스님.”

또다른 학인이 용성스님에게 여쭈었다.

“스님! 그러면 공부중에 떠오르는 망상을 어떻게 물리쳐야 합니까?”

“망상이 일어나든지 일어나지 않든지 간에 아무 상관하지 마시게. 망상이란 놈은 본래가 없애려고 할수록 더욱 기승을 부리며 일어나는 것이네. 소가 달아나려고 할 때 고삐를 더욱 단단히 잡아당기면 소가 스스로 사람을 따라오는 것과 같은 이치라네. 망상이 일어나는 것을 상관하지 말고 화두만을 들어 일심으로 의심하면 망상은 스스로 없어질 것이네."

"예. 잘 알겠습니다, 스님."

이렇듯 후학 양성에 힘쓰던 용성스님이 불교의 대중화를 위해 경성에 올라온 것은 스님의 나이 마흔 여덟이던 1911년이었다.

지리산 칠불암의 종주로 있었던 용성스님은 나라 안팎의 사정과 시대사조의 변천을 보고 느낀 바 있어 상경하게 된 것이었다. 특히 외세의 힘을 입어 물밀듯이 들어오는 기독교와 천주교 등의 서양종교가 온나라 안에 교당을 세우고 교회를 건립하는 것을 가만히 앉아 두고볼 수만은 없었다.

경성에 올라온 용성스님은 범어사와 통도사의 협력을 얻어 대사동에 선종교당을 세웠다. 스님은 뒤이어 종로 안국동에 선학원을 건립하는 일에 동참하게 되었다.

한일합방 뒤 조선의 불교가 일본불교에 걷잡을 수 없이 침윤당하기 시작하자 청정계율을 엄히 지키는 비구승들의 중심도량으로 선학원을 건립하게 되었던 것이다.

그러나……

일본의 밀정을 만주로 잘못 파견한 대가를 혹독히 치러야 했던 용성스님은 시자 동헌을 앉혀놓고 진실로 파란만장했던 자신의 지난 이야기를 하고 있었다.

"그러나 비록 내가 서양종교에 맞서 불교를 대중화시키자고 경성으로 올라와 처음에는 신도집에 머물면서 열심히 포교를 하기는 했으나 배불정책의 벽은 너무나 두터웠네. 승려들의 도성출입금지는 해제되었으나 포교는 여전히 어려웠어."

"요즘도 중들만 보면 아이들까지 놀림감을 삼으려 하는 걸 보면 크게 달라진 것은 없는 것 같습니다요, 스님."

"그렇지. 당시에는 더 했었네. 불교에 대한 백성들의 인식은 아직도 새롭지가 못했던 게지. 거기에다 극심한 자본난까지 겹쳐왔네. 고심 끝에 나는 하이칼라를 하고 광산 운영에 나서기도 했네. 소위 선지식이라는 자가 하이칼라에다 양복을 입고 설치고 다닌다느니 하며 무수한 비난에 직면하기도 했지."

"스님께서 하이칼라를 다 하셨다구요?"

"허허허. 그랬네."

또한 용성스님은 앞서 말한 대로 도심지 포교를 위해 종로 봉익동에 대각사를 건립했고, 만해 한용운과 더불어 독립운동에 가담하여 서대문 형무소에서 옥고를 치루기도 하였다.

"서대문 형무소에서 출옥한 뒤에는 그대와 함께 만주에 건너가 대각교당을 설립하고 농장을 마련하여 조선동포들을 돕기 위해 그토록 애썼거늘 그만……."

"스님! 제발 고정하십시오, 스님."

"으음."

"밤이 깊었으니 이제 그만 자리에 누우시지요, 스님."

일본 고등계 형사의 첩자를 사무장으로 잘못 파견한 탓으로 본래의 원대한 계획이 수포로 돌아가게 되자 배신감에 젖은 용성스님은 한동안 실의에 빠지게 되었다. 거기에 건강까지 악화되어 제자들과 신도들의 걱정은 태산과도 같았다.

그러나 마침내 병석에서 일어난 용성스님은 심기일전하여 불교 경전을 조선글로 번역하는 사업에 더욱 박차를 가하기 시작했다.

스님의 나이 예순 한 살이던 1924년 음력 4월 스무나흗날의 일이었다. 용성스님은 방문을 활짝 열어놓고 무르익은 봄빛을 온몸에 받으며 경전 번역에 몰두하고 있었다. 실바람이 살랑대며 뜨락 가득 피어난 꽃들을 간지럽히며 지나갔다.

그런데 우연히 그 앞을 지나가던 동헌이 탁자 위에 엎드려 있는 스님을 보고 화들짝 놀라서 소리쳤다.

"아니 스님! 왜 그러십니까? 어디 편찮으세요?"

"아, 아니! 왼쪽 이빨 사이에서 이게 나왔으니 이게 무엇인고?"

스님은 입속에서 이빨 비슷한 조그만 물건을 꺼내었다.

"아니 스님! 혹시 치아가 하나 빠진 게 아니십니까?"

그때 마침 스님을 뵈러 오던 최상궁이 동헌의 말을 멀리서 듣고 다가와 스님께 여쭈었다.

"아니 스님! 치아가 빠졌다니 무슨 말씀이십니까?"

그런데 방 안으로 들어가 스님이 꺼내놓은 물건을 요리조리 살펴던 동헌이 고개를 갸웃거리며 중얼거렸다.

　"어어? 이상한데요. 치아 같지는 않은데."

　어느새 방안으로 들어온 최상궁이 동헌이 들고 있는 물건을 가로챘다.

　"어디 좀 봐요! 아이구 이런! 아, 이건 사리 아닙니까요, 스님?"

　"사리라니요?"

　동헌이 어리둥절한 표정으로 최상궁을 바라보자 용성스님은 큰소리로 최상궁을 나무라며 말했다.

　"거, 무슨 경망한 소리를 그렇게 하시는가?"

　그러나 최상궁은 물러서지 않고 말했다.

　"아이구 스님! 이건 정말 사립니다요! 사리! 자 봐요, 이게 어디 치아예요? 이 영롱한 빛깔하며 생김새하며 이건 정말 사립니다요, 사리! 자, 다들 보세요. 큰스님 치아에서 사리가 나왔어요, 사리가!"

　최상궁이 큰소리로 외치는 바람에 공양간에 있던 보살이며 객승들까지 우르르 몰려들었다. 그 물건은 햇볕에 반사되어 오색찬란한 광채를 뿜내고 있었다.

　동헌은 볼수록 신기한지 거듭 감탄하며 말했다.

　"정말 사리 같습니다, 스님!"

　"무슨 경망한 소리를 함부로 하는가! 최상궁은 냉큼 그 물건을 이리 가져오지 못하겠는가!"

용성선사가 어찌나 엄히 호령을 했던지 최상궁은 하는 수 없이 그것을 스님에게로 가져갔다. 그러나 최상궁은 사리에 대한 미련을 떨치지 못하고 또다시 스님을 설득하려 했다.

"자세히 보십시오, 스님. 사리가 분명하옵니다."

그러나 용성스님은 최상궁으로부터 빼앗은 물건을 가지고 나가 풀숲 속에 던져버리는 것이었다.

"이런 번거로운 물건을 버려야 후사가 조용한 법이야! 에잇!"

최상궁은 안타까운 나머지 발을 동동 구르며 소리쳤다.

"아이구, 스님! 그걸 풀숲에 버리시면 어찌합니까요? 사린데요, 사리요!"

"쓸데없는 소리 마시고, 예불이나 올리시게."

용성스님이 방으로 들어간 뒤 최상궁과 동헌은 몰래 풀숲에 들어가서 날이 저물도록 그 녹두알만한 사리를 찾아 보았지만 도무지 찾아낼 수가 없었다. 그런데 그로부터 며칠이 지난 어느 날 밤이었다고 한다.

저녁예불을 올리고 돌아가려던 최상궁이 갑자기 큰소리로 동헌을 불렀다.

"아니 동헌 스님! 저, 저기 좀 보시우!"

"어, 어디 말씀이십니까, 보살님?"

"아, 저기 마당 구석 풀숲에 웬 불빛이 비치고 있잖아요?"

"어어? 정말! 개똥벌레 나올 때도 아직 안됐는데. 무슨 불빛인지?"

시봉스님이 가까이 가서 풀숲을 헤치고 보니 며칠 전에 버린 사리가 방광을 하고 있는 것이었다.

용성스님의 생전에 나온 그 사리는 그날 저녁의 방광 덕분에 우연히 찾을 수 있게 되었다. 그 사리는 최상궁이 잘 모시고 있다가 훗날 해인사에 용성선사의 탑을 세울 때 그 안에 모셔졌다고 기록되어 있다.

용성스님의 나이 75세이던 1938년은 스님에게는 가장 가슴 아픈 해였다.

어느 날 일본인 고등계 형사가 또다시 찾아와 인사를 건넸다.

"안녕하셨소, 대사님."

"나에게 또 무슨 볼일이 남아 있던가."

"조선총독부로부터 대사님에게 전하라는 특별명령서요! 자 보시오."

고등계 형사는 가지고 온 종이를 쫙악 펼쳐 보였다. 그의 눈에 희열의 빛이 역력한 걸로 보아서 분명 좋지 않은 소식일 것이었다. 용성스님은 마음을 가다듬고 담담하게 물었다.

"대체 무슨 명령서란 말인가?"

"내가 읽을테니 잘 들으시오. 에, 조선총독부는 백용성이 설립한 대각교의 해산을 명령한다!"

"무, 무엇이라구! 대각교를 해산시킨다구?"

용성스님은 순간적으로 다리에 힘을 잃고 비틀거렸다. 온몸에서 힘이 빠져나가는 것 같았다.

"그렇소! 해산 명령이오!"

"으음."

대각교 해산 명령!

그것은 용성스님에게 마지막 하나 남아있는 것마저도 앗아가려는 조선총독부의 비열한 행위였다. 겨우 평정을 찾은 스님이 착 가라앉은 목소리로 형사에게 물었다.

"도대체 대각교를 해산시키는 까닭이 무엇인가?"

"그거야 일일히 다 말하지 않아도 잘 아실텐데? 첫째는 대사께서 독립선언서에 서명한 조선인 대표 33인 중 한사람이니 위험인물이요, 둘째는 정체불명의 자금을 시주금으로 가장하여 만주에 교당을 세우고 조선독립군을 도와준 혐의가 있고, 셋째는 조선총독부의 종교정책에 정면으로 반대하여 1차, 2차 두번에 걸쳐 건백서를 제출하고 우리 총독부 종교정책을 혹독하게 힐난하였고, 총독부의 요구로 대각교 재산을 은행에 신탁한 이후, 대중집회를 금하였음에도 불구하고 범어사 경성포교당이라는 간판을 내걸고 교묘하게 집회를 계속하였으며, 조선의 독립사상을 대중들에게 유포하여 민심을 교란케 하였으므로 이 문제의 대각교를 해산시키는 것이오. 잘 알아들었소? 하하하하."

"부처님 법을 널리 전하는 것이 민심교란이면 대체 그대들은 무엇을 바라는 것인가?"

일본인 고등계 형사는 정말 딱하다는 듯 미간을 찌푸리고는 용성스님에게 말했다.

"한 사람의 노승으로 돌아가서 노후나 편안히 지내심이 어떠시겠소? 앞으로는 개인적인 방문 이외에 법회다 참선이나 그런 것들은 일체 절대금지요! 아시겠소?"

"뭐, 뭐, 뭐라구!"

용성스님의 눈에서 서서히 불길이 잦아들더니 마침내 스님은 나무토막처럼 쓰러지고 말았다.

19
소가 되어 은혜 갚으리

용성스님이 온갖 탄압과 간섭을 받아가면서도 18년간 지켜온 대
각교는 결국 이렇게 해서 해산되고 말았다. 용성스님은 일제의 폭
력적인 처사에 나라없는 설움을 또 한번 뼈저리게 맛보아야 했다.
배불정책을 치켜들고 승려의 도성안 출입을 금지시켰던 조선왕조
시절에도 이런 일은 없었다.

일생 동안 해온 모든 일이 일거에 무너지는 듯이 모든 것이 허망
하고 원통했다. 결국 사무치는 한은 육신의 병이 되었다. 정신의
고통을 육체의 강건함으로 이겨내기에는, 스님은 너무나 늙고 쇠약
해 있었다.

최상궁이 당장 약을 지어 달려왔으나 스님은 한 모금을 넘기질
못했다.

"스님! 제발 고정하시고 이 약을 좀 드십시오."

동헌도 안타까이 부르짖었다.

"스님! 제발 이러시면 아니되옵니다. 분하고 원통할수록 제정신을 차려야 한다고 그러시지 않으셨습니까?"

"원, 이 사람들! 내가 언제 내 정신을 잊고 살던가? 내 나이 이제 일흔 다섯, 살 만큼 살았거든."

최상궁은 눈물을 글썽이며 말했다.

"아이구 스님! 그게 무슨 불길한 말씀이시옵니까? 아흔 살, 백살까지 사셔서 조선이 독립되는 것을 꼭 보셔야지요."

"염려마시게. 이렇게까지 발악을 하는 것을 보면 일본이 망할 날도 머지 않았네. 내 두 사람 있는 자리에서 전할 말이 있으니……."

스님은 자리에서 일어나 두 사람 앞에 단정히 앉았다. 그리고 나서 이부자리 밑에 고이 묻어두었던 낡은 종이 한장을 꺼내었다. 언제적부터 지니고 있었던 것인지 그것은 네 귀퉁이가 몹시 닳은데다가 누렇게 변색되어 있었다.

"말씀하십시오, 스님."

"이것은 바로 환성당 지안대사가 남기신 전법게인데 아시다시피 지안대사는 영조 임금 때의 큰스님이시니 한번 법회를 열면 천여 명의 대중이 모여들었는데 바른 말씀을 걸림없이 하시다가 역모를 꾸몄다 하여 제주도로 귀양가서 7일만에 열반에 드시니 바로 그때 법을 전하는 게송을 남기신 것이네. 동헌, 그대가 한번 읽어보게나."

"예, 스님."

동헌은 떨리는 손으로 지안대사가 남긴 전법게를 받아 들고 그 희미한 자취를 더듬어 조심스럽게 읽기 시작했다.

　　물따라 흘러내리는 한조각 일이니
　　필경 머리와 더불어 꼬리가 없구나
　　새끼사자에게 더불어 부촉하느니
　　사자 울부짖는 소리 천지에 가득하리라

용성스님은 보일 듯 말듯 한 미소를 지으며 동헌에게 말했다.

"음, 그래. 지안대사는 법을 전수받을 제자도 없이 이 게송을 남기셨으되 법맥이 끊겨서 내가 지안대사의 법맥을 이은 것이야. 아니지. 어쩌면 지안대사께서 내 몸을 빌어 다시 이 땅에 나투신 것인지도 모르네. 으음."

최상궁은 종잇장처럼 창백해지는 스님의 얼굴을 불안한 눈초리로 바라보고 있다가 스님이 힘든 기색으로 신음을 토하자 얼른 말했다.

"스님, 그만 좀 누우시지요."

"아닐세. 내 이제 동헌 자네에게 법을 전하노니……."

"스님! 왜 벌써 이러시옵니까? 네, 스님?"

동헌이 울먹이며 말하자 최상궁도 눈물을 주르륵 흘리면서 흐느끼며 말했다.

"스님. 제발 좀 쉬시옵소서."

그러나 용성스님은 고개를 흔들며 희미하게 웃더니 이윽고 동헌에게 법을 전하는 게송을 읊기 시작했다.

산수와 더불어 주장자는
옛사람이 이미 알아 얻었네
나는 그저 잠이나 자노니
맑은 바람 빈뜰을 지나가네

스승으로부터 법을 전해받은 동헌은 눈물을 삼키며 말했다.

"스님! 대체 왜 이리 서두르십니까! 5년 10년 후에 주셔도 늦지 않습니다, 스님."

최상궁도 안타까이 부르짖었다.

"스님! 어찌 이리 마음이 약해지셨습니까, 스님?"

그러나 이미 마음의 정리를 한 용성스님은 다시 이부자리 밑에서 편지봉투 하나를 꺼내 들었다. 스님은 다시 제자 동헌에게 말했다.

"난 그동안 여한없이 살았네. 조선글 경전도 펴낼 만큼 펴냈고, 화과원을 설립해서 선농일치도 해 보였고, 불교대중화를 위해 3만 명에게 계를 내렸고, 아이들 법회도 부인선원도 다 잘되었어. 다만 한 가지 마음에 걸리는 것은 조선의 독립과 만주의 낭패이니 그 여한을 자네가 풀어주어야 하네. 자, 이것을 잘 간직했다가 내가 떠난 뒤에 뜯어보고 그대로 해주게나. 자, 받으시게."

"스님! 왜 이러시옵니까, 스님!"

"자, 어서!"

"예, 스님."

동헌은 스승이 내미는 편지봉투를 두 손으로 공손히 받았다. 편지봉투는 제법 두툼하였고 단단히 밀봉되어 있었다.

최상궁은 수심이 가득한 얼굴로 스님께 말했다.

"스님. 그만 좀 누우시옵소서."

"허허. 이 사람들! 나 갈 때 아직 멀었네. 그 약이나 주시게."

"예, 스님. 여기 있사옵니다."

최상궁은 윗목에 놓여진 약그릇을 만져보더니 얼른 일어서며 말했다.

"스님. 약이 식었사오니 금방 데워 오겠습니다, 스님."

"아닐세. 식었으면 마시기 좋을 터이니 이리 주시게."

"예에."

용성스님은 최상궁이 내민 약그릇을 받아 단번에 쭈욱 들이 켰다.

그제야 동헌의 부축을 받아 자리에 누운 스님은 다정한 얼굴로 최상궁을 바라보았다. 따뜻한 눈빛이었다.

"최상궁."

"예에, 스님."

"요 다음에 내가 소가 되어서라도 그 은혜 갚음세."

"아이구 스님! 왜 그런 말씀을 하시옵니까, 스님!"

최상궁과 동헌은 가슴이 철렁하여 안타까이 스님을 불러보는 것 이었으나 스님은 평온한 얼굴로 잠에 빠져들었다. 벌써 오래전부터 생각해온 일을 오늘에서야 마쳤다는 흡족감 때문인지 창백했던 스 님의 얼굴에는 바알갛게 화색이 돌고 있었다.

1939년 조선총독부는 창씨개명을 선포하였고 입산출가한 승려 들에게까지 일본이름으로의 개명을 요구하였다. 창씨개명의 압력 을 용성스님이라고 해서 피해갈 수는 없는 것이었으나 스님은 이를 단호히 거부하였다.

결국 스님은 호적도 승적도 없는 그런 상태가 되었다. 그러나 평 생을 요시찰인으로 낙인 찍혀 살아왔던 용성스님에게 일본제국이 승인해 주는 호적이나 승적이란 한낱 종잇조각에 불과한 것이었다.

그러나 그런 용성스님 앞에 일본의 내노라 하는 선지식이 무릎을 꿇었다면 놀라지 않을 사람이 없을 것이다.

한번은 일본내에서 법거량을 할 자가 없다는 유명한 선지식 하나가 조선의 선지식을 만나보러 건너왔다.

그는 조선 팔도를 두루 돌아다니며 여러 이름있는 선지식을 친견하였고 마지막으로 용성스님을 찾아왔다. 용성스님이 백암산 운문선원의 조실로 있을 때였다.

그러나 일본의 선지식은 용성스님과의 문답에서 곧 무릎을 꿇고 말았다. 그는 자신이 조선의 용성스님과 법거량을 할 만한 상대가 못됨을 솔직히 인정하면서 은근히 스님에 대한 흠모의 정을 갖게 되었다.

자신의 나라로 돌아갈 때가 되어 마지막으로 백암산의 용성스님을 찾아온 일본 선지식은 이렇게 말했다.

"대사! 소승이 모시고 있는 석가여래 진신사리가 있는데 이것을 조선의 대 선지식이신 대사께 바치고 싶소이다!"

그러나 용성스님은 고개를 저으며 조용히 말했다.

"무슨 소리! 귀한 그것을 어찌 감히 내가 받을 수 있단 말이시오. 그 말씀 거두어 주시오."

"아니옵니다, 대사! 대사께서는 소승의 눈을 활짝 뜨게 한 은인이오니 부디 받아주십시오!"

일본 선지식은 끝내 자신이 고이 간직하고 있던 사리를 용성스님께 바쳤다. 일본 선지식이 돌아간 뒤 용성스님은 그 사리를 자신과 각별히 가깝게 지내던 백양사 조실 만암스님에게 드렸다.

오늘날의 백양사 사리탑 안에는 바로 그 사리가 모셔져 있는 것이니, 비록 정치적 경제적으로는 일제의 손에 들어갔다고는 하나 정신적으로는 일본에 앞서 있었다는 뚜렷한 징표가 아니겠는가.

그러나 평생을 한결같이 조선의 독립과 불교의 융성에 몸바쳐온 용성스님은 자신이 떠날 때가 가까워졌음을 느낄 수 있었다. 세상 인연은 가벼워지고 육체는 기운을 다해가고 있었던 것이다.

스님은 평온한 마음으로 자신의 일생을 되돌아보았다.

되돌아보건대 스님의 일생은 고난과 역경의 민족적 시련기 속에서 밀려드는 외세의 물결과 싸우며 새로운 불교운동을 추진함으로써 민족의 주체성을 고취시켰던 정의와 자비로 일관된 삶이었다.

마침내 1940년 음력 2월 스무나흗날 아침이었다.

용성스님은 새벽 일찍 일어나 목욕재계하고는 청정한 몸으로 이 승에서의 마지막 예불을 올렸다. 법당 높이 앉아계시던 부처님이 자비로운 미소를 지으며 스님을 굽어보고 계셨다.

용성스님이 공양상을 물리자 잠시 후 제자 동헌이 아침 문안을 드리러 왔다. 동헌은 경전을 앞에 놓고 단정히 앉아계시는 스님의 안색을 살피며 자상하게 여쭈었다.

"아침 공양은 잘 드셨습니까, 스님."

"그래. 오늘 아침 죽은 정말 맛있게 잘 들었네."

"어디 불편하신 데는 없으십니까, 스님?"

"불편한 데가 있을 리 있는가. 그보다도 내 부탁이 있네."

"뭐든 하명만 내리십시오, 스님."

"자네, 내가 먼길을 떠나더라도 슬퍼하지도 말고 널리 알리지도 말고 부디 조용히 치러주게."

법을 전해받은지 채 얼마 되지 않았는데 스님께서 또다시 그 이야기를 꺼내자 제자 동헌의 얼굴이 흐려지기 시작했다.

"아니 스님! 정말로 길을 떠나시렵니까?"

"그래야겠네. 다만 내가 길을 떠난 후 무상게만 염송해주면 그걸로 족할 것이니 명심하시게. 그리고 내가 가거들랑 일전에 자네에게 맡긴 서찰을 뜯어보고 반드시 그대로 시행하여 주시게."

스승의 눈은 그지없이 맑고 고요하게 가라앉아 있었다. 동헌은 직감적으로 용성스님의 입적이 가까워졌다는 것을 느꼈다.

"대체 가시는 곳이 어디십니까, 스님?"

"허허허. 옛날 아도화상이 모례장자에게 하신 말씀 기억하시는가?"

"예. 모례장자 집에서 머슴살이하면서 숨어 지내신 아도화상이 떠나면서 명년 겨울 칡넝쿨이 그대 담을 넘어갈 것이니 그 넝쿨을 따라오면 나를 만날 것이다 하였지요.”

“그래. 그 칡넝쿨을 따라 갔더니 야도화상은 도리사에 계셨지?”

“그렇습니다, 스님.”

“그리고 옛날 중국의 동산 양개선사께 어느 선객이 대체 어떤 것이 부처입니까 하고 물었거늘 뭐라고 대답하셨던고?”

“동산 양개선사께서 대답하시기를 삼씨 서근이니라 하셨지요.”

“그래. 그러면 이제 자네가 나한테 가는 곳이 어디냐고 물었으니 대답을 해주어야겠네.”

“말씀하시지요.”

“박꽃이 울타리를 뚫고 나가니 삼밭 위에 한가롭게 누웠더라.”

말을 마친 용성스님은 이십여 년 동안 고락을 같이 해온 제자 동헌의 얼굴을 물끄러미 바라보았다. 그 눈길에는 말로 다할 수 없는 제자에 대한 깊은 애정과 신뢰가 짙게 묻어 있었다. 동헌은 코끝이 찡해져 왔다.

“스님, 정말 가시렵니까?”

“그동안 수고가 많으셨네. 허허허허.”

용성스님은 조용히 웃으며 자리에 앉은 그대로 눈을 지그시 감았다. 그것은 마치 참선에 든 모습과도 같았다.

“스님, 참선하시다가 떠나시렵니까? 스님! 스님! 아니, 스니임!”

1940년 음력 2월 스무사흗날 오전 8시.

용성스님은 이렇게 조용히 열반에 들었으니 스님의 세속나이 77세요, 법랍 61세였다.

연락을 받은 최상궁이 황망히 달려왔다.

"스님! 스님! 조선이 독립하는 것도 못보시고 떠나시다니 너무 분하고 원통하옵니다, 스님!"

강거사는 땅을 치며 통곡하는 최상궁을 달래며 이렇게 말했다.

"보살님. 스님의 마지막 분부이셨다니 고정하십시다. 아! 조선 독립을 보고 가셨어야 떠나는 길이 홀가분하셨을 텐데 이렇게 쉽게 가시다니……."

최상궁을 위로하려던 강거사마저 끝내 울음을 터뜨리고야 말았다.

동헌은 다른 제자들과 함께 용성선사의 마지막 분부대로 조용히 장례를 치루었다. 용성스님의 장례를 모신 뒤 동헌은 스승의 유언대로 봉투를 열어보았다.

비록 용성선사의 육신은 한줌의 하얀 재로 남았으되 선사가 남기고 간 유훈의 글은 서릿발과도 같았다.

　　나 떠난 후에 조선은 반드시 독립할 것인즉
　　그때 세간사람들에게 용성스님이 당부하는 세간오계를

반드시 지켜주도록 부탁하노라.

첫째, 목숨을 바쳐 나라에 충성하시오

둘째, 목숨을 바쳐 부모에 효도하시오

셋째, 목숨을 바쳐 스승을 공경하시오

넷째, 목숨을 바쳐 친구를 믿고 사귀시오

다섯째, 목숨을 바쳐 전쟁에는 지혜롭게 이기시오

나라 잃은 설움이 얼마나 뼈에 사무쳤으면 이런 유훈을 남겼을 것인가. 용성선사의 절절한 나라사랑은 이 유훈을 통해 후학들의 마음속에 길이길이 전해져 온다.

이 세간오계 외에도 용성스님은 불교의 중흥을 위한 열 가지 당부를 동헌에게 남겼다. 용성선사가 부촉한 열 가지 당부는 다음과 같다.

다가오는 신묘년 1999년 만주에 법당을 세우고 천불을 봉안하라 함이요,

백제불교의 성지인 우면산 옛 성지를 복원하라 함이요,

신라 불교 초전법륜지를 성역화하라 함이요,

경주 남산 칠불암을 보존하라 함이요,

반드시 백만 명에게 계를 내려 법을 전하라 함이요,

한글 불경책을 백만권 이상 펴내라 함이니.

　남은 평생을 스승의 유훈을 실현하는 데 몸바친 동헌스님 역시 훗날 대각사 임도문 스님에게 이 유훈을 전해주었다.

　　"용성선사께서 주신 바
　　법은 법도 아니요,
　　법 아님도 아니다.
　　내 이제 그대에게
　　전한 바 없이 전하니
　　그대 또한
　　받은 바 없이 받아라!"

　용성선사가 유언으로 남긴 당부는 용성선사의 법맥을 잇고 있는 기라성 같은 제자들에 의해 이 땅에서 척척 구현되고 있으니 이것이 모두 다 용성선사의 은혜라 하겠다.
　또한 용성선사는 수많은 젊은 납자들을 제자로 삼아 이 나라 불교계의 거목으로 키웠으니 단암, 보광, 동광, 동암, 동산, 희암, 동헌, 고암, 인곡, 소천, 자운 스님 등이 모두 다 선사의 법제자들이다.

   그 가운데서 동산스님과 고암스님은 이 나라 불교계의 최고지도
자인 종정을 지냈고, 입적하신 전 종정이신 성철스님 또한 동산스
님의 제자이니 용성선사의 문하에서만 모두 세 분의 종정스님이 배
출되었던 것이다.

   전 조계종 총무원장 서의현 스님, 동국대학교 총장을 지낸 이지
관 스님을 비롯한 능가스님, 지효스님, 광덕스님, 무진장스님, 효
경스님, 선효스님, 지백스님, 청청스님, 도안스님, 공철스님, 보광
스님, 도광스님, 도원스님, 도철스님, 운문스님, 토공스님, 도업스
님, 해암스님, 붕주스님, 종하스님 등 이 나라 불교계의 기라성 같
은 인재들이 모두 다 용성선사의 법맥을 이은 제자들이다.

   특히 지금의 대각사 주지를 맡고 있는 도문 스님은 용성선사의
뜻을 이어받아 용성선사가 머무셨던 서울 서초동 우면산에 대성사
를 다시 일으켜 세우고 눈부신 전법활동을 전개하고 있으니 참으로
용성선사가 이 나라 불교중흥을 위해 끼친 공적은 이루 다 형언키
어렵다 하겠다.